华为的高效执行力

从优秀到卓越的中国式超一流执行力

司辉◎著

海天出版社（中国·深圳）

图书在版编目 (CIP) 数据

华为的高效执行力 / 司辉著. — 深圳 : 海天出版
社, 2013.10
（华为员工培训读本系列）
ISBN 978-7-5507-0755-9

Ⅰ.①华… Ⅱ.①司… Ⅲ.①通信—邮电企业—企业
管理—组织管理学—深圳市 Ⅳ.①F632.765.3

中国版本图书馆CIP数据核字(2013)第142093号

华为的高效执行力

HUAWEI DE GAOXIAO ZHIXINGLI

出 品 人　陈新亮
责任编辑　顾童乔　张绪华
责任技编　梁立新
封面设计　元明·设计

出版发行　海天出版社
地　　址　深圳市彩田南路海天大厦　（518033）
网　　址　www.htph.com.cn
订购电话　0755-83460397(批发)　83460239(邮购)
设计制作　蒙丹广告0755-82027867
印　　刷　深圳市希望印务有限公司
开　　本　787mm×1092mm　1/16
印　　张　15.25
字　　数　186千
版　　次　2013年10月第1版
印　　次　2017年4月第5次
定　　价　39.00元

◖ 没有执行力，就没有竞争力

任何一个企业，都不缺乏伟大的战略和缜密的计划，但它们真正所需要的，却是把战略落实到位的执行力。执行力是连接企业战略构想和实践的桥梁，战略构想再伟大，也要有人将它付诸实践，这一切靠的就是执行力。

执行力包含"完成任务的意愿、完成任务的能力、完成任务的程度"三个部分。执行力对个人而言就是办事的能力；对团队而言就是团结协作完成任务的能力；对企业而言就是全体员工完成企业战略目标的能力。没有执行力，就没有战斗力；没有战斗力，就没有竞争力；没有竞争力，就没有发展力。

优秀的企业之所以优秀，正是因为它们更注重细节，落实更到位，执行更彻底，更有效果。我们不难发现，凡是发展又快又好的世界级企业，凭借的就是执行力。微软的比尔·盖茨曾经坦言："微软在未来 10 年内，所面临的挑战就是执行力。"IBM前 CEO 郭士纳认为："一个成功的企业和管理者应该具备三个基本特征，即明确的业务核心、卓越的执行力及优秀的领导能力。"

谈及执行力，就不得不提华为。正是华为总裁任正非卓越的战略洞察力和执行力使得华为从 20 年前的一家小企业成长为如今国际一流的通信设备供应商。2012年，华为在世界 500 强排行榜中排名第 351 位，营收高达 350 亿美元。作为全球第二大通信设备商的华为，被众人认为是"基于执行的狼性帝国"，是中国企业在全球市场的一张名片。

狼性执行基因、职业化保障、流程化执行……正是华为执行力优势所在！任正非要求做的事就必须立即做到，有时简直是逼着人变出业绩来。这都是军人雷厉风行性格的体现，任正非从军队继承的"攻无不克"的精神成了华为强大执行力的来源。

每年，任正非都会为华为制订下一个目标，虽然很多人都不相信能够兑现，但是多年以来的事实表明，每年他所提出的目标大多实现了。

要提高企业的执行力，不仅要提高企业从上到下的执行力，还应提高每一位员工、每一个部门的执行力。因为执行的核心是人。由于拥有了执行力强大的员工，华为才能拥有强大、高效的执行力。华为拥有众多不折不扣的执行者，正是这些优秀执行者以强有力的执行力确保了华为的不断发展。宏伟的战略思路与踏实的工作态度在华为每个员工、每个团队中都很好地体现出来，这使得华为具备了国内大型企业中罕见的执行力。

华为总裁任正非曾说："一个新员工，看懂模板，会按模板来做，就已经标准化、职业化了。你3个月就掌握的东西，是前人摸索几十年才摸索出来的，你不必再去摸索。"这其实就是流程化管理、标准化管理的好处。因为一切都按照标准化模板执行，所以可以避免因为变通而带来的各种不确定，保证执行力的稳定性。

《华为的高效执行力》系统总结了华为屡战屡胜的狼性执行力，并为读者全方位解读华为高效执行力，为国内的各类型企业和团队提供世界级狼性团队的高效执行力模式和方法。

《华为的高效执行力》值得每一个企业和员工学习，尤其适合于企业对内部员工和团队进行培训。

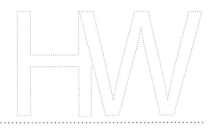

第一章

华为：执行重在到位

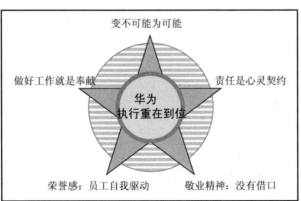

HUAWEI DE
GAOXIAO ZHIXINGLI

第一节　变不可能为可能

成功学大师拿破仑·希尔年轻的时候，抱着一颗当作家的雄心。要达到这个目标，他知道自己必须精于遣词造句，字典将是他的工具。但由于他小时候家里很穷，所接受的教育不完整，因此，"善意的朋友"就告诉他，说他的雄心是"不可能"实现的。

年轻的希尔存钱买了一本最好的、最完全的、最漂亮的字典，他所需要的字都在这本字典里面，而他的意念是完全了解和掌握这些字。但是他做了一件奇特的事，他找到"不可能"这个词，用小剪刀把它剪下来，然后丢掉，于是他有了一本没有"不可能"的字典。以后他把他整个的事业建立在这个前提下：那就是没有任何事情是不可能的。

林语堂先生讲过一句话："为什么世界上95%的人都不成功，而只有5%的人成功？因为在95%的人脑海里面，只有三个字'不可能'。"

对领导交付的任务，部下一般情况下都会完成。可如果这个任务特别难，完成起来要付出巨大代价，就不好说了。对急难险重任务的态度，才是对执行力的真正检验。执行力强表现为，无论领导交付的任务有多困难，都不打折扣，不讲价钱，千方百计，确保完成。

1995年5月，华为成功地签订了一个STP合同，并要求在18天的时间里完成生产任务。如按正常的生产能力，车间要近一个月的时间才能顺利完成 4000 块 STP 单板的测试和维修，但为了实现对客户的承诺，华为的相关部门在设备上给予了车间很大的帮助。当时华为员工孔飞燕正负责该项目单板的调试，"五一"三天假期，她有两天在加班。当她一人同时操作多台设备仍无法按时完成任务时，她主动提出来倒班——她上夜班。从那以后半个多月的时间里，她总是在下午 6 点半以前就来上班，而第二天上午 10 点以后仍会在车间看到她忙碌的身影。经过十多天日日夜夜奋斗，生产任务终于提前半天完成了。当市场传来 STP 顺利安装成功的喜讯时，调测工程师的脸上露出了疲倦的笑容。

当一件看似"不可能完成的任务"摆在你面前时，你要突破困难，勇于挑战，这就是高标准执行力的真实体现！那些勇于向"不可能完成"的工作挑战的员工，是最优秀的执行者，并且始终是最受企业欢迎的人。

2008 年，华为启动 ALL IP 战略，平台建设是重中之重。当时目标是"用 3 ~ 5 年时间把 VRP V8 打造成 ALL IP 时代运营商网络设备的软件平台"。这一年，华为员工吴东君担任 VRP V8 总设计师，这是吴东君迄今为止接受的"最具挑战、最艰难的一项工作"。当时，对于如何做出业界竞争力领先的 IP 软件平台，大家都感到迷茫，没有方向感。作为 VRP V8 的总设计师，吴东君带领团队大胆地提出"将 V8 架构与 V5 架构剥离，重构 V8"的思路。这是一种全新的设计，与以前 V5 的做法完全不一样，在大家看来这存在着巨大的风险。有人问："V8 采用全新的架构是否太冒进了？"又有人说："放弃已有的 V5 架构是不是太可惜了？"还有人担心地说："我们的队伍经验不足，能否完成这项创新？"……面对大家的不解甚至质疑，吴东君组织召开了技术 PK 会议，让所有与会者从不同角度去寻找问题、风险。吴东君一个人站在讲台上，以他特有的慢语速，一遍遍不厌其烦地解答，每一次解答他都能提供清晰的方向和具体的指导。

经过数次的 PK 会议，无数次方案论证和修正，V8 最终采用了全新的革命性架构设计方案。架构设计已经确定，然而设计、开发、实现过程更是困难重重，人员新，经验少，当时一位专家说："V8 开发，我们好比只有砖头却要盖摩天大厦。"吴东君没有过多的言语，一边自己上战场解决开发中出现的问题，一边培养新人、建立架构维护等系统工程制度，一次次调测一遍遍对齐。经过两年不懈努力，"VRPV8R1"产品在阵痛中诞生，其性能全面领先，不负众望。

2009 年 11 月底，华为公司的波分团队接到了一个几乎"不可能完成的任务"——瑞士电信定制版本。12 月 15 日启动开发，要求第二年 4 月交付。波分团队从春节奋战到 4 月 15 日交付，再到 5 月 8 日得到瑞士电信的验收肯定，团队成员一直在全力以赴地奋战。

第二节　责任是心灵契约

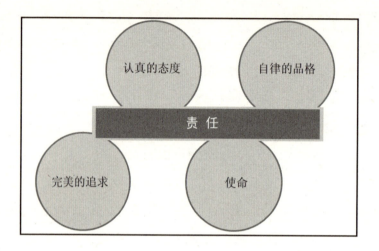

英国一位社会学家曾说："要激发一个人潜在的本能，叫他承担一种责任是最有效的办法。"在执行工作或任务的过程中，没有做不好的工作，只有不负责任的人，一个没有责任心的人，自然不会对自己经手的任务尽心尽责，也就不会彻底达到预期的目标。

海尔董事局主席张瑞敏曾说："一个企业，上对国家负责，缴纳税金；下则应对员工负责，帮助每个员工实现他个人所不能实现的目标。作为员工，责任是什么呢？就是要主动地承担起企业在发展中赋予员工的历史责任。只有每个人都来关心企业，我们的目标才能够顺利实现。"

责任是一种心灵契约。契约是两人及两人以上相互间在法律上具有约束力的协议。其实员工和企业之间就是一种契约关系，即员工为企业的发展贡献自己的力量，企业的发展满足员工的发展需要。企业的发展和员工的成长之间这种互惠互利的关系，虽然没有通过一纸契约载明，但是他们都虔诚地互相遵守着各自的"心灵契约"。

从员工加入一家企业的第一天起，就和企业签下了这个契约。之后，员工就应该认真地执行公司交付的任务。一个有责任心的人，不光为社会作贡献，对家庭负责任，对自己的工作也要积极认真。本着对企业负责、对自己负责的精神的员工，在工作中一定比没有责任心的员工更加积极主动、尽职尽责。所以说，对工作的责任心也催生对工作的主动性。

在华为经过多次轮岗的毛生江说道："人生常常有不止一条起跑线，不会有永远的成功，也不会有永远的失败，但自己多年坚持一个准则：既然选择，就要履行责任，不管职责如何变迁，不管岗位如何变化，'责任'两字的真正含义没变。"

2007年加入北非服务拓展部的埃及女员工 Marwa，对工作岗位充满责任心，勤勤恳恳、兢兢业业，一干就是 5 年。其部门主管对她的评价是："Marwa 对自己负责模块的业务流程非常清楚，超过地区部任何一个中国人对流程的理解程度，而且经常主动加班完成代表处提交的紧急需求，交给她的工作总是能够按时并高质量完成。"2011 年 4 月，Marwa 的妈妈在医院做手术，她夜里在医院照顾妈妈，白天依然出现在办公室，领导和同事们劝她回家休息，Marwa 固执地说："谢谢大家对我的关心，请相信，我还能挺得住，把工作处理完我再回去。"

责任是一种认真的态度，一种自律的品格；责任是一种使命，一种对完美的追求。承担责任，可以让人变得坚强，只有这样，才能尽可能地发挥潜能，让执行坚持到底。

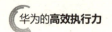

　　责任心极强的 Marwa 在工作中高效执行的同时，也让华为的同事深切感受到她在公司的飞快成长。Marwa 的销售管理与项目监控能力有了质的飞跃，卓越的 Excel 应用技巧与细致严谨的项目跟进，各类数据如同刻在她的大脑一样，大小例会都能把地区部所有服务项目进展汇报得头头是道，她就是地区部服务销售的活账本。连续几年中东北非地区部大型服务客户年会的成功举行，都离不开 Marwa 的精心策划与大力支持。

　　杜鲁门担任美国总统后，在自己的办公桌上摆着一个牌子——"Book of stop here！"。这句话翻译成中文就是：责任到此，不能再推。在营救驻伊朗的美国大使馆人质的作战计划失败后，当时美国总统卡特立即在电视里郑重声明："一切责任在我。"如果我们每个人都有这种高度的责任感和强烈的责任意识，并且勇敢地承担责任，那么我们就一定可以创造执行力的奇迹。

　　歌德曾说："人生就像一场舞台剧，上天无论赋予你什么角色，你都有责任演绎好它。"的确，无论你在企业中充当何种角色，都要为自己建立完美执行的意识，激发自己的责任心，以促进自己为完美执行竭尽全力。

第三节 敬业精神：没有借口

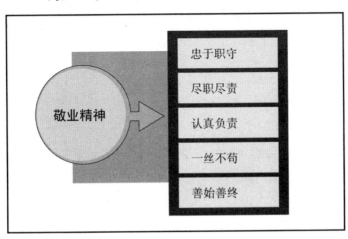

宋朝朱熹说，"敬业"就是"专心致志以事其业"，即用一种恭敬严肃的态度对待自己的工作，认真负责，一心一意，任劳任怨，精益求精。

"没有任何借口"是美国西点军校200年来奉行的行为准则，它要求学员想尽一切办法去完成任务，而不为没完成任务寻找借口，体现的是一种完美的执行能力，一种诚实服从的态度，一种敬业负责的精神，其核心是敬业、负责、诚实、服从。

李素丽就是一个具有敬业精神的人，她说："每一条公共汽车的线路都有终点站，但为人民服务没有终点站。我永远属于我的乘客，属于我的岗位。"

敬业是人的使命所在，是人类共同拥有和崇尚的一种精神。从世俗的角度来说，敬业就是敬重企业里的制度，尊重自己的工作，将工作当成自

己的事，其具体表现为忠于职守、尽职尽责、认真负责、一丝不苟、善始善终等职业道德，同时其中还糅合了一种使命感和道德责任感。这种道德责任感在当今社会得以发扬光大，使敬业精神成为一种最基本的做人之道，也是人们成就事业的重要条件。

企业领导都希望手下员工个个爱岗敬业，对工作充满激情。可是在现实中，不乏仅仅把工作当作谋生手段的人，也不乏以应付的态度对待工作的人。这些人看起来是缺乏敬业精神，实际上恐怕是他们没有找到引爆创造动力的工作激情。

有人天生就具有敬业精神，不管从事什么职业都能够尽心尽力地工作，而有些人的敬业精神则需要培养和锻炼。在一项针对我国 300 家大中型企业的文化问卷调查中，具有敬业精神的员工的工作绩效要比不敬业的员工高出 4～9 倍。但在当前中国企业中，只有 8% 的员工被认为具有高敬业度，有 25% 以上的员工被认为敬业度很低，相信不少企业的管理人员都有类似的感觉：组织内有大量的员工"身在曹营心在汉"。

在企业里，员工的敬业精神非常重要。一个有敬业精神的员工一定会百折不挠、兢兢业业地去完成公司交给的任务，在任何时候、任何地点都不会做出不利于企业组织的事情。员工的敬业精神会极大地提高企业的执行力。

华为团队赴日本学习的时候，正值日本 10 年经济萧条，但任正非在日本看到的却是一幕平和的景象。回国后，任正非以日本民歌《北国之春》为名写了一篇文章，里面描述了他所看到的景象及其对日本人的敬业精神的感慨。

"一踏上日本国土，给我的第一印象还是与 10 年前一样宁静、祥和、清洁、富裕与舒适。从偏远的农村，到繁华的大城市，街道还是那样整洁，所到之处还是那样井然有序；人还是那样慈祥、和善、彬彬有礼，脚步还是那样匆匆；从拉面店的服务员，到乡村小旅馆的老太太，从大公司的上班族……所有人都这么平和、乐观和敬业，他们是如此珍惜自己的工作，如此珍惜为他人服务的机会，工作似乎是他们最高的享受，没有任何躁动、不满与怨气。在我看来，日本仍然是 10 年前的日本，日本人还是 10 年前的日本人。"

敬业是提升执行力的精髓和灵魂。华为员工高度的敬业精神也是华为成功的重要法则。1996 年 6 月，山西临县三台 JK1000 交换机要更换母板，上数字中继。临县是人所皆知的老区，交通不便，没有铁路，崎岖的山路要颠簸一天。没有豪华的汽车，只有快要抛锚的老爷车，车上挤满了农民，华为员工孙鹏随身携带三块母板，六七块需要更换的备板以及工具等。天黑前到了县城，孙鹏坐邮局的车到了支局。晚上 11 点左右，第一个支局更换完毕，第二个支局也顺利完成，但是第三个支局更换时下起了连绵小雨。由于这个小镇在大山里，没有柏油马路，下雨下雪行车就不能进出了，也没有旅店住宿。他们住在支局里，七八个人只有两条被子。这里的水资源非常紧缺，喝的水是被污染的泉水，颜色发红。第二天孙鹏就拉肚子了，第三天已不能再吃东西了，浑身没有一点力气。邮局的同志看到情况不好，马上组织人员手拿铁锹跟在汽车后，一边修路，一边前进，情况十分危急，上不了山坡就有滑向深沟的危险。经过 4 个小时的努力，他们终于走出了大山。孙鹏在县里输了一天液，有点精神了就赶快拿起沉重的行李踏上返程。由于山西人员少，孙鹏回来只休息了几天，就赶到阳泉装机。可让他万万没有想到的是，装机的 5 天里，每天都腹泻不止。他能想到的是一定

要坚持下来，一定要按期开通设备，因为办事处已经没人可派了。光吃药不顶用，只有不吃东西和输液才能缓解腹泻的症状。孙鹏返回太原后，输了十几天液也没有多大好转，他的心情变得沉重起来。从事安装维护工作的两年里，每天东奔西跑，水土不服造成肠胃不适是常事，可像这么严重的拉肚子还是第一次。两年的安装维修工作是艰苦的，尤其在早期，像孙鹏这样的当地工程师每月工资只有 500 元，只有出差时才有伙食补贴 25元，住宿 50 元。华为这些一线维护工程师每天在山沟里跑，安装维护的都是老设备，而且没有双休日，但他们内心没有怨言，更多的是理解：因为华为早期的创业是艰苦的，作为华为的员工，有责任和公司同甘苦共患难。作为最基层的员工，虽然说不出什么豪言壮语，但他们的敬业精神令客户刮目相看。

在工作的过程中，不可避免地会遇到这样或那样的问题和困难。那么，要解决问题、战胜困难就要有敬业精神。敬业精神是执行的原动力，敬业的人才能成为成功的执行者。而没有敬业精神的人，往往被动执行，既感受不到工作的乐趣，也实现不了执行的目的。如果你具有敬业精神，并能把敬业变成一种习惯，那么任何任务都能高效完成。

1997 年 3 月末，华为开发的新产品第一次在北方某地开局，当地办事处求援，华为研究开发部的石殿甫等 4 名开发者立即乘飞机赶去。4 人刚进办事处，就被告知一台设备出了故障，用户很着急，而办事处的技术员去了别处。办事处主任希望他们能够先去现场把设备恢复了再说。但是，那台出问题的设备是旧产品，4 名技术人员还不太熟悉，办事处的秘书找来了说明书，又拨通了用户的电话，经过一番详细询问，他们终于摸清了故障所在，决定立即赶赴现场。

　　时间紧急，几个人在办事处旁的一个小饭馆匆匆吃了份快餐，石殿甫和另一名技术员就乘坐办事处的车子出发了。

　　天色逐渐暗下来了。两人在车里商量着维修方案。由于目的地是在一个偏僻的县里，司机只能看着地图走。晚上9点多钟，北方人都已经钻进了被窝，冷冷清清的道路上只有这一辆车子行驶。在一段崎岖的小路上，司机迷路了，又凭着感觉走了好长时间才发现了有几处稀疏人家的村子。3个人轮番敲门，希望能找个人问路。但老百姓以为有人打劫，纷纷拉灭了灯。好不容易找到了一位老人，才问清楚了道路。凌晨1点多钟，终于赶到了县里。但是，早已等候在那里的当地的华为工作人员却告诉他们：故障的设备在一个小镇上，距离这里还有60多公里。大家顾不上休息，连夜赶路。车子在漆黑的夜幕中急驶。出县城不久，就下起了鹅毛大雪。凌晨2点多钟，终于赶到了现场。这是一个只有几户人家的小镇。睡眼惺忪的邮电所所长把几个人带到了设备室。大家经过仔细检查，找出了问题所在，立即把带去的备件换上，设备终于恢复了正常。他们连夜返回，没想到车子却在途中爆胎了，回到县城已经是凌晨5点多钟。当终于躺到一间小旅馆的床上时，几人已睡意全无。

　　晚上长途跋涉去维修机器，是各地办事处的工程师经常做的工作。2000年春节，黑龙江的一个本地网交换机中断，网上运行着多种机型，不知道问题出在哪个厂家的设备上。华为的技术人员在一日之内从深圳赶到黑龙江，发现问题不在华为。但是出问题的设备厂商迟迟没有回应，华为将自己的接入网改接到另一路由，通话恢复了。

　　要提升员工的执行力，首要问题就是培养员工的敬业精神。敬业就是在具体的执行落实中体现出来的。因为敬业的人会怀着一种对职业的敬仰，

会在公司有任务的时候积极落实任务，无任务也要去找任务，这种实干精神会让自己在工作中充分发挥自己的潜力，找到自己的价值。因此，及时完成任务是敬业的体现，而敬业又是工作之本，是将工作做好的最直接的动力。而且，敬业是一种积极向上的人生态度。秉持这种态度的人会树立"这个世界没有卑微的工作，只有卑微的工作态度"的职业价值观。敬业的人对自己的职业水准有很高的要求：精益求精，永远对工作现状不满意，永远在改善工作。

第四节　荣誉感：员工自我驱动

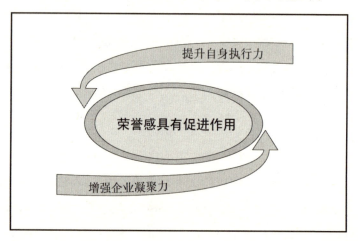

执行的效率有高有低，因为动力不同，结果也不尽相同。而荣誉感保障下的执行，绝对会是高效的。

荣誉感是人们一种高层次的精神追求，在人生中有着极其重要的地位。法国思想家孟德斯鸠曾说："光荣是我们获得的新生命，其可珍可贵，实不差于天赋的生命。"

一个人有了强烈的荣誉感，才会有向往光荣的价值取向，才会有不畏困苦、顽强拼搏的精神，才会有奋勇争先的不竭动力。

荣誉感也是员工自动自发执行的一种动力。当员工的地位、成就与能力得到他人的认同和重视时，员工的内心就会产生一种荣誉感。为了得到这种荣誉，员工必然驱动自我，荣誉感也就成了一种推动力。

2003年平安夜，阿联酋电信运营商（简称Etisalat）正式宣布，将中东及阿拉伯国家的第一个3G合同授予华为。交付的重任再一次落到了华为员工王海暾的肩上！Etisalat有着非常严格的工程勘测、工程施工、工程交付、市场交流等流程制度。一位负责市场的同事说："王海暾，这个项目只许成功，不许失败，看你的了！"

不光是代表处，华为公司上下都对这个项目倾注了极大期望。过春节了，项目组还在紧张有序地忙碌着。华为高层从中国打来电话，问候王海暾及其项目组。"一定要把公司第一个3G项目做好！"王海暾后来回忆道，"公司领导的这句话成了我们的使命。随着项目的进行，大家的荣誉感和归属感越来越强，很多兄弟说，要是没干好，出去别说自己是阿联酋3G项目的人！这样的热情也感染了我，如果是因为我的原因没做好项目，我会感觉很对不起大家！"

寒来暑往，功夫不负有心人。2004年6月，阿联酋3G商用局通过了RFA（Ready for Acceptance），华为经受住了客户最严格的检验，成为其新的主要战略合作伙伴。阿联酋代表处领导说："阿联酋代表处的历史会永远铭记住这支出色的交付队伍！"

一个没有荣誉感的员工不会成为一名优秀的员工，荣誉感能将做出成

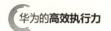

绩的人与那些至今仍没有做出什么成绩的人区别开来。

荣誉感对提升自身执行力、增强企业凝聚力具有很大的促进作用。如果一个员工对自己的工作有足够的荣誉感，对自己的工作和服务的公司引以为荣，他必定会焕发出无比的工作热情。每一个企业都应该对自己的员工进行荣誉感的教育，每一个员工都应该唤起自己对岗位和公司的荣誉感，因为荣誉感时刻引导着你前进。

如果一个员工没有荣誉感，即使有千万种规章制度或要求，他也不能把自己的工作完美执行，他可能会对某些要求不理解，或认为其是多余的而觉得厌倦、麻烦。

第五节　做好工作就是奉献

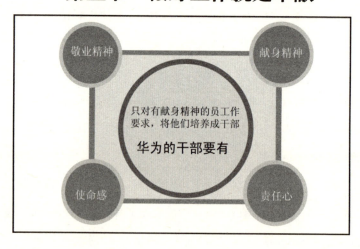

麦迪逊公司准备从基层员工中选拔一位主管。

董事会出的题目是寻宝：大家要从各种各样的障碍中穿越过去，到达目的地，把事先藏在里面的宝物——一枚金戒指找出来。谁能找出来，金戒指就属于谁，而且他还能得到提拔。

大家兴奋异常。他们开始行动起来，但是事先设定的路太难走了，满地都是西瓜皮，大家每走几步就要滑倒，根本无法顺利到达目的地，只能艰难地行进着。

在他们的寻宝队伍中，公司的一位清洁工吉姆落在了最后面。对于寻宝之事，他似乎并不在意，他只是把垃圾车拉过来，然后把西瓜皮一锹锹地装上去，然后拉到垃圾站去。

几个小时过去了，吉姆快把西瓜皮清理完了。而其他人则是跳过西瓜皮，冲向了目的地，他们四处寻找，但是一无所获。只有吉姆在清理最后一车西瓜皮的时候，发现了藏在下面的金戒指。

公司召开全体大会，决定正式提拔吉姆。董事长问大家："你们知道公司为什么提拔他吗？"

"因为他找到了金戒指。"好几个人举手答道。

董事长摇摇头。

"因为他能做好本职工作。"又有几个人举手发言。

董事长摆了一下手："这还不是全部，他最可贵的地方在于他富有奉献精神，在你们争先恐后寻宝的时候，他在默默地为你们清理障碍。"董事长总结道。①

《圣经》中有一句话："你用什么量器量给别人，别人也必会用什么量器量给你。"你得到的回报，总是与你创造的价值对等。

有家公司的员工通道上这样写道："假如你有智慧，请你贡献智慧；

---

① 墨墨 . 把工作做到极致 做最好的执行者 . 北京理工大学出版社，2010.11

假如你没有智慧，请你贡献汗水；假如你两样都不贡献，请你离开公司。"

　　不要问公司能为自己做什么，而要先问自己能给予公司多少贡献。如果人人都有奉献精神，公司就会成为一棵茁壮成长的参天大树；反之，若人人先顾私念，索求第一，公司就面临崩坍之灾！对一名华为员工而言，奉献精神更是立身之本！

　　任正非表示，雷锋精神与英雄行为的核心本质就是奉献。在华为，一丝不苟地做好本职工作就是奉献，完美执行好工作任务，就是雷锋精神和英雄行为。

　　华为签下的大理州本地网七号信令网（LSTP）工程项目于 1998 年 12 月 1 日开始安装，装机刚进入第二天，正当装机人员热火朝天立机架、固定机架时，大理地区忽然在 3 个小时内连续发生了 4 次有感地震，最大一次地震是 4.7 级。记得发生 4.7 级地震时，华为督导陈建新正在机架上紧固螺丝，在旁的装机人员大声喊叫"陈工，快下机架，大地震了"，只见陈工微笑着说，没关系，我把螺丝上完再说，后来他真的把螺丝上完了才下机架。

　　自从 12 月 2 日发生了几次有感地震后，大理州政府发出了防震紧急通知，要求各单位和居民采取防震措施。一时大理地区沸沸扬扬地掀起了一阵防震潮，许多单位和居民自发地搭起了地震棚。外地到大理旅游、出差、做生意的人基本上都离开了大理，到大理电信局搞电源环境监控、97 工程的厂家的督导也离开了，唯有华为的督导陈建新告诉他的领导，工程已开工，若停下来将延误工期，要求继续将工程干完。陈建新的领导被他的这种临危不惧的精神所感动，同意他留下继续干的要求。陈建新在整个防震期间，从没请过一次假，每天仍然坚持准时上班，星期天也没休息过一次。尽管初次到大理，但他忙得没有时间游览这个历史文化名城的山川景色。他熟练的技术使得这个工程顺利进行。

正是陈建新这种兢兢业业、忘我工作的态度以及局方装机人员的密切配合，大理州本地网七号信令网（LSTP）工程终于在 1998 年 12 月 16 日顺利割接开通投入了试运行。陈建新奋不顾身、临危不惧、扎扎实实工作的敬业和献身精神，让客户非常感动。

任正非要求，华为的干部要有敬业精神、献身精神、责任心、使命感。华为对普通员工不作献身精神要求，他们应该对自己付出的劳动取得合理报酬；只对有献身精神的员工作要求，将他们培养成干部。

价值 2 亿美元的工作态度

2004 年底，国际航空联盟决定在亚洲遴选一座有超级吞吐能力，且在软硬件上都过得硬的机场作为国际客运及货运的航空枢纽，成为各个国际航班的中转站。选定后的这个航空枢纽预计年乘客运输量在 3000 万人次以上，货物吞吐量达 200 万吨。如果哪家机场能幸运地最终入选，那么每年在收取停机费以及提供其他机场服务等方面，将会有近 2 亿美元的收入。

此消息一出，亚洲各国机场纷纷摩拳擦掌，积极申报参与竞争，都力争要将这块大肥肉据为己有。最终韩国仁川等几家机场从众多申报者中脱颖而出。

接下来，国际航空联盟的官员们开始对这几家机场展开调研，一一打分。很快，凭借着机场现有的吞吐能力和未来已定下的扩建规模，其中一家机场和地处东北亚交通网中心的仁川机场进入了最后的决赛。

决赛争夺得尤为激烈，因为在各项硬件条件上，两家机场不相上下，现在就看谁的软件服务更胜一筹了。

国际航空联盟的官员将自己乔装成普通的乘客，偷偷到两家机场暗访。在登机及乘坐的过程中，两家机场都给予了同样的规范化服务，难分伯仲。

但是，接下来，等暗访的官员们下了飞机，来到行李区取自己的行李箱时，却发现在仁川机场拿到的箱子非常干净，几乎是一尘不染，但在另外一家机场取到的箱子却脏兮兮的，有一个官员的箱子甚至无缘无故地添了一道裂纹，好像是被摔过似的。

为了查明事情的原委，官员们展开了现场调查。他们发现机场在下行李时，当行李箱从滑梯上滑下来后（当时机场有专门工作人员帮着下行李，与今天的自助式不同），仁川机场的地勤工作人员面带微笑，小心翼翼地接过行李箱，然后用一块抹布将整个箱子从头到尾地认真擦了一遍，然后再将其小心地认真地摆放到行李车上，等着乘客来取。整个过程，工作人员们像是在从事一项非常高尚的工作，不仅是全身心一丝不苟地投入，而且还是发自内心的喜爱和热爱。

而在另外一家机场，官员们却发现了另一番景象——当行李箱滑下来后，地勤工作人员接箱后随意地用劲向行李车上一扔，发出"轰"的一声响。有时没扔准，掉了出来，他们则显得很不耐烦，恨不得上前踹上一脚。工作中，他们表情麻木，感受不到一丁点对这份工作的喜爱和享受。

随后，官员们又询问了几名来取自己行李的乘客，他们都是每周至少要来该机场乘坐一次航班的商务人士，官员们提出的问题是，你们随身的行李箱，因为损伤一般多长时间需要更换一次？得到的回答是：一年，最多一年半。

3个月后，结果出来了，这家机场输给了仁川。为何是仁川而不是该机场，国际航空联盟给出的解释是这样的：我们不能把每年200万吨乘客携带的货物交给一群不热爱自己工作的人来随心所欲地处理，这不符合亚洲中心空港的气质，也不符合每年近3000万人次乘客的心愿！

当这家机场得知自己败给对手的真正原因时，追悔莫及。他们怎么也没想到自己竟然输在这个渺小到几乎可以忽略的"细节"上。虽然他们一再表示会立即整改，然而一切都晚了，他们没能拿到每年近 2 亿美元的收入，为迎接检查所做的一切投入和努力都付诸东流。

对工作保持热情和尊重，不是厌烦而是享受，仁川机场的最终胜出看似偶然，实则是必然，因为只有一个对工作充满热情和热爱的人或团体，才是最值得信任和给予重托的。

事实证明国际航空联盟的决定是正确的，之后由日内瓦国际机场协会在 2006 年和 2007 年的调查中，仁川国际机场连续两年获得"全球服务最佳机场"第一名。

(摘自《现代阅读》，作者：牧徐徐)

专题

张瑞敏：谈谈自驱力

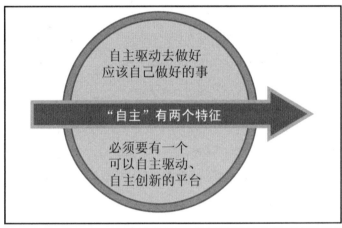

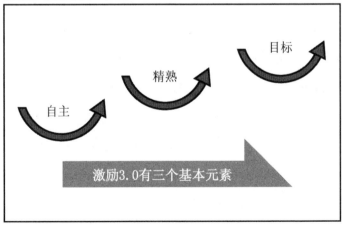

一、怎样认识自驱力

美国的一本畅销书《驱动力》，它里面的观点可能对我们大家有一定的启迪。《驱动力》这本书的副标题是关于激励的真相，它把激励也分为 1.0、2.0、3.0。

激励 1.0 假定人类是为了生存而奋斗。也就是说如果我不去工作，我就没有饭吃，没有衣穿，这是迫于生存的压力。激励 2.0 则假定人类还会对其环境中的奖惩做出反应。激励 1.0 和 2.0 都是他驱动，是外部激励。我们现在需要升级到激励 3.0，激励 3.0 是内在激励，自我驱动。其动力来自于为了让世界变得更好而不断地去学习和创造。具备了这种自驱力就会达到更高的境界。激励 3.0 有三个基本元素：自主、精熟和目标。

（一）"自主"：自己决定自己生活的希望。

"自主"有两个特征，一是自主驱动去做好应该自己做好的事；二是必须要有一个可以自主驱动、创新的平台。我们现在推进的人单合一的双赢模式，就符合这两个特征：一是可以自主驱动每个人的人单合一；二是创造了很好的平台，也就是我们的倒三角组织，组织架构从层级结构变成了矩阵网络，大家形成了一个整体。《易经》乾卦的爻辞中最高的就是"用九"，即群龙无首。我们要实现的目标就是群龙无首，每一个自主经营体都是一条龙，每一条龙不是由其上级来指挥，而是自主为用户创造价值，这就是人单合一双赢模式追求的最高境界，即每个人都是自己的 CEO（首席执行官）。

现在我们在模式创新和推进上已经有了很大的进步，但是仍有很多人没有跟上节奏，原因就是在自主阶段出了问题。自主的反面是不自主，"不自主"的表现形式基本上可以概括为"三自"：自恋、自负，最后变得自卑。所谓"自恋"就是非常相信自己过去熟悉的那一套是对的，所以在模式创新推进上总是格格不入，有人甚至觉得新模式有什么必要呢？有什么价值呢？不能自主驱动进行新模式探索。在这个情况下可能就到了第二步，就是"自负"了，觉得自己的决策肯定没问题，我发布命令你们照着做就行了，结果导致失败，而失败之后就陷入进退维谷的境地，老路走不通，新路又不能去探索，总是把自己夹在中间，觉得我怎么老是不行呢？也非常恨自己为什么做不上去，久而久之，就变成了"自卑"。

（二）精熟。把自主创新、自我导向的事情做到更好，直到极致。

精是精确的精，熟是熟练的熟。"精熟"阶段就是把自主创新、自我导向的事情做得更好一些，努力做到极致。怎样才能进入这个阶段呢？也有两个条件，第一要参与，第二要经过痛苦的磨炼。

所谓参与就是要亲手去做，但绝不是越俎代庖，而是要真正悟透战略，找到正确的路径。所谓磨炼，就要不怕失败，但不是蛮干，而是为了尽量避免失败，把预算的工作做到前面去。现在，还有很多人没有做好，因为自己没有想通，不能深入参与，更不要说有事先的"预"了。那么在探索的过程中，肯定会碰壁，碰到困难又回到老路上来，浅尝辄止，这就不会真正达到目标。荷兰哲学家斯宾诺莎有一句名言："如果你不想，会找一个借口，如果想做，会找一个方法。"这句话可不可以倒过来说呢？如果不停找借口，就是不想做。现在有很多人总是找借口，找各种理由说不能做或者做不成，那也就是说你就不想做，因为不想做就找一个借口。

（三）目标。

这个目标不是一般意义上的数量的目标，而要真正达到一个非常高的境界，它叫做振兴商业、重塑世界，为此需要挑战自己的极限，去争取一个更大更持久的世界级的目标。我们现在的模式创新符合这个要求。为什么呢？因为我们的模式创新要达到的目标就是要创造一个具有时代性、国际性的商业模式。所谓时代性，就是符合互联网时代的需要，但目前别人还没有做，我们率先探索了。这就是重塑世界。所谓的国际性，就是对所有的企业都有用，无论国内企业还是国际企业都认可这个模式，而且可以学，并且学了还有好处，就像国际上大家都曾经学习的日本的全面质量管理以及后来美国的六西格玛一样，它们都有一个共同特点——给整个世界范围的企业管理带来非常大的变化。

所以，回过头来看三个元素，它是逐级递进提升的。在自主阶段是自我导向做好应该做的事情；到了精熟阶段，就是把事情做到极致；到了目标阶段，要做到世界级的水平，达到改善人类生活，让世界更美好的目标。

二、我对自驱力的理解和感悟

很多同志一方面在理性上明白自驱力的重要性，但另一方面在实践中又觉得很难做到。我个人对自驱力的理解和感悟可以总结为两点，第一是要珍惜自己的工作机会，第二是不管遇到什么困难，只有你才是你自己的心理医生。

附录

员工敬业程度测试

以下每题有三个选项，A：不赞成；B：基本赞成／有点不赞成；C：赞成。

1. 不拿公司的任何物品；

2. 在规定的休息时间之后，及时返回工作场所；

3. 看到别人有违反公司规定的举动，及时纠正；

4. 对公司的商业秘密绝对守口如瓶；

5. 不擅自离开工作岗位；

6. 不做有损公司名誉的任何事情；

7. 不管能否得到相应的奖励都能积极提出有利于公司的意见；

8. 关心自己和同事的身心健康；

9. 乐于承担更大的责任，接受更繁重的任务；

10. 只为本公司工作；

11. 对外界人士积极宣扬公司；

12. 把公司的目标放在个人目标之上；

13. 乐于在工作时间之外自动自发地加班；

14. 业余时间注重钻研与工作有关的技能，加强职业素养的学习；

15. 为保证工作绩效，善于劳逸结合，调节身心；

16. 在工作日的任何时间里，绝对不做一切有碍工作的事；

17. 凡是支持本行业和本行业的人，均投票赞成；

18. 对公司使命有清晰的认识，认同公司的价值观；

19. 能享受工作中的乐趣；

20. 积极参加公司组织的业务技能培训。

评价：A选项得分为1分；B为3分；C为5分。

得分40分以下：敬业度很低；得分40～60分：敬业度一般；得分60～80分：敬业度上等；得分80分以上：敬业度优异。

（《可以平凡，不能平庸》，作者：刘兴旺，新华出版社）

第二章
华为的高效执行方法

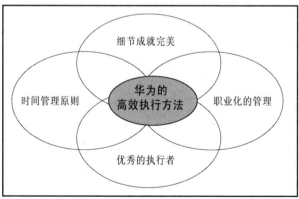

HUAWEI DE
GAOXIAO ZHIXINGLI

第一节　细节成就完美

任何一个企业，都不缺乏伟大的战略和缜密的计划，但它们真正所需要的，却是把战略落实到位的执行力。执行力是连接企业构想和实践的桥梁，构想再伟大，也要有人将它付诸实践，这一切靠的就是执行力。但执行力体现在细节上，古语说"天下大事必作于细"，"一屋不扫何以扫天下"，这说明细节性的执行才更为重要。

有句话说："成大事若烹小鲜，做大事必重细节。"这是个很形象的说法，很多顶级厨师之所以能做出美味的拿手好菜，就是因为在做菜的过程中，他做到了别人做不到的细节，或是将细节处理得很完美，所以，才得到了顶级的称谓。

密斯·凡·德罗是20世纪世界四位最伟大的建筑师之一，当他被要求用一句话来描述他成功的原因时，他说了五个字："魔鬼在细节。"他解释道："不管你的建筑设计方案如何恢宏大气，如果对看似小事的细节把握不到位，就不能称之为一件好作品。"

有一家日本公司准备在中国投资，考察了很多国内企业，最后选中三家，想进一步比较，以做出最后决定。这三家中就有海尔。

后来日本这个株式会社社长到了海尔，但只看了看就走了。起初海尔认为他无意与海尔合作，可没想到，事隔一天，对方就发来了愿意合作的传真。

事后，这位社长说，虽然来海尔的时间很短，但他到模具车间去了，并顺手摸了一下备用模具，没摸到灰尘。他就是靠这点做出合作决定的。因为，海尔连备用的模具都能够做到没有灰尘，那么，这个企业的管理是可以信得过的，是可以合作的。

任何工作任务的完成和执行，都是由很多个细节组成的。细节决定成败，这是一句让我们的耳朵听起老茧的话。而事实上确实也是如此，细节对我们的整体起着至关重要的作用。

当我们要提升企业的执行力时，除了确定正确的战略目标外，还必须重视细节。忽视细节，很可能功亏一篑，使得执行是无效的执行。美国"哥伦比亚"号航天飞机的爆炸就是明证。

2003年2月1日，美国航天飞机"哥伦比亚"号完成了预定的任务，返回地面。就在即将着陆前，"哥伦比亚"号意外发生了爆炸，航天飞机上的7名宇航员全部遇难，全世界为之震惊。事后的调查结果显示，导致这一航天灾难的凶手，是一块脱落的隔热瓦。正是这个隔热瓦的"细节"出现失误，使得"哥伦比亚"号功亏一篑，7条宝贵的生命因之而丧失。由此可知，细节到位，才能真正执行到位。否则，一个小小的细节失误，就可能毁掉整个大好局面。

一切伟大都孕育于细节之中。我们要把重视细节、执行细节培养成一种习惯。天才与凡人的最大区别正是体现在对细节的态度上。

周恩来总理正是凭着一贯提倡注重细节、关照小事的作风，赢得了人们的称赞。

当年，尼克松访华的时候就敏锐地发现，周恩来具有一种罕见的本领，他对一些事情的细节非常认真。因为他发现，周恩来总理在晚宴上为他挑选的乐曲正是他所喜欢的那首《美丽的阿美利加》。

在来访的第三天晚上，客人被邀请去看乒乓球和其他体育表演。当时下着大雪，而客人预定次日参观长城。周恩来总理得知这一情况后，离开了一会儿，通知有关部门清扫通往长城路上的积雪。

周恩来总理做事是精细的，同时他对工作人员的要求也是异常严格的。他最容不得"大概"、"差不多"、"可能"、"也许"这一类的字眼儿。有一次北京饭店举行涉外宴会，周恩来总理在宴会前了解饭菜的准备情况时，他问："今晚的点心什么馅？"一位工作人员随口答道："大概是三鲜馅的吧。"这下可糟了，周恩来追问道："什么叫大概？究竟是，还是不是？客人中如果有人对海鲜过敏，出了问题谁负责？"

美国大企业家约翰·洛克菲勒曾说："听到大家夸一个年轻人前途无量时，我总要问：'他善于执行吗？他认真对待工作中的小事了吗？他从工作细节中学到东西了没有？'一个人，即便有再高的学历、再硬的学校牌子，对待工作任务如果不认真执行，不将敏捷的判断力、准确的逻辑推理能力、丰富的专业知识和执行中的具体细节联系起来，最终也会一事无成。"

细节决定成败，这在华为体现得淋漓尽致：卫生间永远都有质地很好的手纸、面巾纸、洗手液，有些还有擦手的湿毛巾、一次性梳子；华为人在推行职业化管理后始终坚持了"放置水笔的时候笔尖朝下"等行为规范；员工购餐也是清一色"一"字长龙，秩序井然……

华为很多部门的墙上都贴有"下班之前过五关"的卡通画，意在提醒

工作人员下班之前别忘了关掉电灯、电脑、门窗等。华为内部曾经做过统计，通过加强随手关闭电源的习惯，每月可节约电费几十万元。

执行的成败，在很大程度上由细节决定。只有细节做到位，我们的执行才能够真正发挥它的功效。能把小事情按照大事情标准做，这就是有着独特"细节"情怀的华为。

大礼不辞小让，细节决定成败。仅从华为的司机就可以看出华为企业的细致入微。华为司机在驾驶室应该采取怎样的坐姿，迎接客人为客人开门的姿势等都有规范，真可谓是细致入微，所以有客人戏说如果你要去华为，下飞机不要看招牌就可以找到华为的车，因为他们是与众不同的。人们在谈及这些时总是不断发出由衷的赞美之声，这样的管理难道不漂亮吗？如果你是华为的客户难道你还会担心它的产品和服务的质量吗？

华为注重细节管理的一个重要方面就是从许多日常细节上着手。比如说，去华为参观，走在公司的园区里，看到的全部都是一尘不染的石头路、草地、水池和绿树，外在的灰尘很少。这是因为华为向员工灌输严格的整洁概念，凡是能看得见的地方都规定了清洁要求。所有进入华为车间的人员，一律套防静电鞋罩、穿白大褂和戴防尘帽。工作人员的私人物品，全部放在车间外的更衣室，不准带进车间，这样灰尘进入车间的机会就大大降低。员工一旦发现有灰尘、垃圾，就立即通知专门的清洁人员来清扫。而清洁人员又会分析灰尘、垃圾的来源并反馈给车间以改进控制。而对于所有进入车间的物料和设备以及工具，必须经过专门的除尘室处理后才能进入车间。

1998年，任正非向华为培训中心推荐的第一本书就是美国西点军校退役上校所写的《西点军校领导魂》，书中主要介绍西点军校如何培养军队的领导者。西点军校深信细节的力量，他们教导学员任何时候都要重视细节小事，特别是在战场上，更是小事关乎大事，细节决定一切。

细节如此重要，因此西点军校一直以来都十分注重对新学员的细节训练。背诵新学员守则是细节训练中一个行之有效、长期坚持的办法。这套冗长固定的新学员知识，除了包括要记住会议厅有多少盏灯、蓄水库有多大的蓄水量之外，甚至还要记行事日历。

西点军校的学员们每天都会被检查服装仪容，包括皮鞋、扣环要擦亮，上衣要正确地扎进裤子或裙子，衬衫袖叉和裤缝要对直成一条线，步枪的构造和使用……所有的细节都必须了然于心。

就是这种重视细节的精神，让西点人一直精益求精，力求做好每一件事。因为他们知道，细节既可能促进一名军人的成长与进步，也可能导致一场战争的失败，所以绝对不能轻视，否则就极有可能会为此付出惨重的代价。[①]

经历过成功与失败，然后再次取得成功的巨人网络董事长史玉柱表示，自己这十多年变化最大的是开始注重细节，他说道："我以前做事都是搞大方向，大方向一定自己就不管了。我习惯带着我们的核心团队，他们都跟我一样，这样做事，成功率很低。"

在某一细节的操作上做出榜样，使员工有效仿的标本，并形成一种威慑力，使每个员工都不敢马虎，无法搪塞。只有这样，企业的工作才能真正做细。史玉柱曾说过，很多公司战略正确，失败在细节上。"我认为企业要做成功，应该是'细节为王'。对公司老板来说，战略制订成功后，下一步的工作就是抓细节。"

史玉柱认为，中国过去 10 年，一些企业失败了，不是因战略出了问题，

---

① 李万升 . 向解放军学执行 . 吉林大学出版社，2010.2

而是执行上的细节出了问题，从研发、生产、营销到管理，方方面面都要注意细节。

在战略的执行中，如果有很多细节处理不好，战略正确了也可能失败，因而只能抓关键。任何过程如果有多数矛盾存在的话，其中必定有一种是主要的，起着领导的、决定的作用，其他则处于次要和服从的地位。因此，研究任何过程，如果是存在着两个以上矛盾的复杂过程的话，就要用全力去找出它的主要矛盾。抓住了这个主要矛盾，一切问题就迎刃而解了。在关键流程和环节上，企业领导必须追根究底，抓住最重要部位的细节。

作为一个执行者，要在工作过程中注重细节。只有在注重细节当中比他人更仔细、更周密，才能发现问题的真正所在。唯有这样，才能把工作真正做细、做好。

但现实中就有很多人对细节不够深入、不够执著，对细节欠缺强而有力的执行力度。要么是对诸多细节视而不见、麻木不仁，从不细究，要么是想到了却敷衍了事，不能养成一种习惯。

成与败往往就差在细节上，有时候就只差那么一点点。细节成就完美的执行力，我们追求细节有多深入、多执著，执行力就会有多好。①

---

① 吕国荣，俞继宗 . 你的执行力从哪里来 . 机械工业出版社，2011.6

第二节　职业化的管理

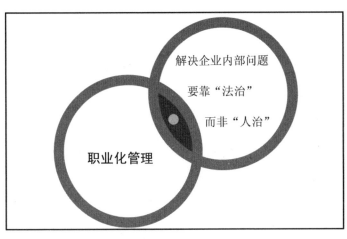

日本的企业家、管理专家大前研一曾写了一本书，书名翻译过来叫《专业主义》，这里的专业也就是我们常讲的职业化能力。

同样是做快餐行业，我们感觉麦当劳和肯德基比较职业化；同样是饮料行业，我们感觉可口可乐比较职业化；同样是零售卖场，我们感觉沃尔玛和家乐福比较职业化。其实，进驻国内的这些跨国企业的员工大部分是中国人，可他们给我们的感觉就很专业，到他们那里吃饭或者买东西感觉就是不一样。这其实就是职业化。

简单地说，我们每个人在做事时，要有做事的样子。公司的每个工作岗位都有对员工能力和技术方面的要求，也就是专业化的工作技能。具备了这样的工作技能，员工做起事来才够职业化。也只有职业化的员工，才能将任务执行到位。

日本企业的员工都有非常高的职业化操守。这点我们从一个日常的案例中就可以看得出来。在日本的新干线列车上，每当有乘客走进车厢，服务员都会向他鞠躬，并用非常柔和的声音说着"欢迎乘坐新干线"。然后，服务员会推着售卖食品的小车慢慢走过来，一路不停地打招呼，轻声细语，面带微笑，让人觉着如沐春风。在离开车厢的时候，服务员也会再次回头鞠躬，口称"给大家添麻烦了，请大家好好享受旅途"。

日本人的职业化表现，由此可见一斑。更让人惊讶的是，即使是在空无一人的车厢里面，这些服务员也会朝着空荡荡的车厢鞠躬，面容上毫无懈怠之情。这种精神，这种态度，这种一丝不苟的工作表现，如果没有职业化的操守，无论如何是做不到的。

职业化是企业执行力的根本保障。职业化可以分为两个层面，一个是组织的层面，强调管理的职业化；另一个是员工的层面，强调个人的职业化。从组织层面考察职业化问题，要求在企业内部进行法治而不是人治。人治是职业化的大敌，由于人治的多变性，使得员工无法可依，在企业运营实践中就会不知所措，就会韬光养晦，尽量保护自己，缺乏积极性和主动性。从员工层面考察职业化问题，要求员工保持良好的职业素养，遵守职业规范，具有职业技能，最基本的就是要有符合岗位要求的工作技能。管理职业化和员工职业化是职业化的两个方面，两者相辅相成，相互促进。管理的职业化是员工职业化的保障，组织的职业化有利于员工职业化的形成，也能督促员工培养个人职业素养；员工的职业化是管理职业化的必然产物，员工职业化的程度对管理职业化的推行有着极大的制约作用，同时也能给予管理职业化以巨大的助推力。

职业化管理指的是解决企业内部问题要靠"法治"而非"人治"。企业在初创时，由于主要的管理控制权掌握在企业的拥有者或关键技术的掌握者手里。因此，这时的企业往往以"人治"为主，就是以少数领导者的意志为企业管理的主导意志的管理模式；而随着企业的不断发展，领导者的意志已经很难对企业各个方面实施有效管理，需要企业根据自己的业务状况制定和执行科学的管理制度和业务流程，形成一种决策科学化、流程标准化、考核系统化的管理模式，即"法治"。提高职业化水平其实就是从"人治"向"法治"转变的过程。

任正非对于职业化思考的来源很直接。1997 年他有机会到美国访问，期间考察了一些美国公司。"这次我们也考察了一些小公司，与华为几乎是同时起步的，年产值已达 20 亿 ~ 30 亿美元，美国与华为差不多规模的公司产值都在 50 亿 ~ 60 亿美元以上，是华为的 3 ~ 5 倍。华为发展不快的原因有内部原因，也有外部原因。"

任正非认为内部原因就是华为不会管理。华为没有一个人曾经从事过大型的高科技公司的管理工作，从开发到市场，从生产到财务，全都是外行，未涉世事的学生一边摸索一边前进，磕磕碰碰走过来的。企业高层管理者大量的精力用于员工培训，而非决策研究。

任正非认为，华为要寻求更大的发展，就必须进行管理变革，使其管理体系与国际化接轨。实行职业化管理是成为世界一流企业的必要条件。任正非表示，华为是一群从青纱帐里出来的土八路，还习惯于埋个地雷，端个炮楼的工作方法，还不习惯于职业化、表格化、模板化、规范化的管理。重复劳动，重叠的管理还十分多，这就是效率不高的根源。

于是，1997 年开始，任正非与国际著名的顾问公司合作，大力改革华为的人力资源管理制度，逐步建立起了以职位体系为基础、以绩效与薪

酬体系为核心的现代人力资源管理制度。促使华为员工的任职能力不断增强，从而使员工承担的责任越来越大，职业化水平越来越高，打造一支可以推动华为更快速发展的职业团队。

职业化意味着工作状态的标准化、流程化，其实就是专业化的要求。为达到职业化、流程化的目的，华为在著名人力资源咨询公司HAY的协助下，制定、公布了高层干部任职资格评价标准。任职资格共分5个等级，其中第三、四、五级干部任职资格标准保持了相当长时间的稳定，每个高层干部每年年初都要填写任职资格表格，年末写述职报告，公司根据他的工作评定是否合格。

2000年以后，华为进入职业化、流程化管理为特点的第二创业阶段。任正非认为，华为第一次创业的特点是靠企业家行为，为了抓住机会，不顾手中资源，奋力牵引，凭着第一、第二代创业者的艰苦奋斗、远见卓识和超人的胆略，从小公司发展至今，初具规模。

第二次创业的目标就是可持续发展，要用10年时间使各项工作与国际接轨。它的特点是要淡化企业家的个人色彩，强化职业化管理，把人格魅力、牵引精神、个人推动力变成一种氛围，使它形成一个场，以推动和引导企业的正确发展。氛围也是一种宝贵的管理资源，只有氛围才会普及大多数人，才会形成宏大的具有相同价值观与驾驭能力的管理者队伍，才能在大规模的范围内，共同推动企业进步，而不是相互抵消。这个导向性的氛围就是共同制定并认同的《华为基本法》，而形成切实推动的就是将在10年内陆续产生的近百个子基本法。它将规范华为的行为与管理。

任正非指出，华为曾经是一个"英雄"创造历史的小公司，现在正逐渐演变为一个职业化管理的具有一定规模的公司。淡化英雄色彩，特别是淡化领导人、创业者的色彩，是实现职业化的必然之路。只有职业化、流程化才能提高一个大公司的运作效率，降低管理内耗。第二次创业的一大特点就是职业化管理，职业化管理就使英雄难以在高层生成。

任正非说道："什么是职业化？就是在同一时间、同样的条件，做同样的事的成本更低，这就是职业化。但市场竞争，对手优化了，你不优化，留给你的就是死亡。"

为了更好地达成职业化管理的目标，任正非本人在2000年后便从台前走向了幕后。他曾经明确指出：华为公司大力推行流程管理、机制管理，今后将是惯性运作。事实上，现在公司的管理层已很少管理公司，除重大决策外，公司运作已经开始与人的管理脱开了。

在自觉不自觉中，任正非将自己的角色从一个管理者向"领导者"过渡。如今，任正非仍然是华为的最高领导者，但是，更多的时候他是以一种精神的方式而存在，于是常常出现这样的情况：到华为拜访的人常常问接待的高层："任总在公司吗？"他们得到的回答往往是："任总不在，但公司一样运转得很好。"

有一组数字或许能表现华为10年职业化管理变革的成效：经过历年流程再造以及人力资源变革的华为目前与跨国公司的人均效率差已经从2001年前的1∶3.5提高到2005年的1∶2.6，华为1996年人均销售额为57万元，2005年，人均销售额达到150万元。

正如北京大学光华管理学院原院长张维迎所说："企业必须实行职业化的管理。如果一个企业不能够走向职业化的管理，任何宏伟的战略都是不可能实现的。简单来说，职业化的管理就是解决企业内部问题要靠法治而非人治，就是企业依照程序和规则运作，而非靠兴趣和感情维持。当然，

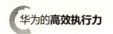

这里并非否认在企业运作过程中个人的权威、个人的魅力对企业发展的重要性。但是，只有将企业家的魅力变成程序化的、可被接受的管理程序时，这个企业才真正实现了职业化的管理。"

在我们学习西方管理的同时，不要忘记了我国也曾有过的职业化管理规范。明清晋商在长达 500 多年的经商实践中，有着许多成功的经营道德和经营风范。客观准确地把握晋商经营文化的精华，对现代商业的文化建设乃至实业界的道德建设，无疑有着历史性的启示。

我国晋商留下来的"号规制度"堪称职业化管理的典范。"号规制度"中包含诸如经理负责制、学徒制、号规、账簿制等。晋商认为"商号经理之聘用，须唯才是举"。凡聘任经理皆由财东先进行严格考察，确认其人有所作为，德才兼备，多谋善变，便委以重任，全权负责，经理则以忠义来答报知遇，而财东也不干预号事，静候年终决算报告。经理在任期内业务突出有成绩者，则加股（人身股）加薪奖励。若非人为失职或能力欠缺造成一时亏赔者，财东则补足资金，慰勉鼓励，令其重整旗鼓，经理自然更加卖力。如不称职者，则减股减薪或辞退不用。晋商对店员、学徒要求十分严格，如对相貌、身高、家庭、文化、德才都有一定要求。入号后对其严格进行职业道德、工作技能培训，其道德培训内容包括"重信义、除虚伪、节情欲、敦品行、贵忠诚、鄙利己、奉博爱、薄嫉恨、喜辛苦、戒奢华"。培训毕，经过严格考察后，量才使用。山西有谚称："十年寒窗考状元，十年学商倍加难。"由于要求严格，从而培育了不少商业骨干人才。晋商号规也极严。晋商有谚称："家有家法，铺有铺规。"商号对可能发生的种种陋习劣迹，都有严格规定，所定号章号规，不论经理伙友，一律遵守，从而使商号上下努力任事，团结一致，勤奋进取，充满活力。

第三节　优秀的执行者

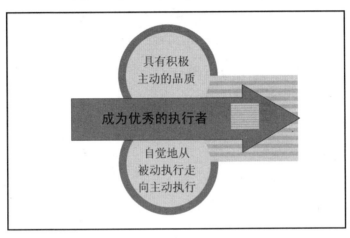

在很多组织里，常常是策略、愿景一大箩筐，然而却是光说不练，仅流于"口号管理"，并没有人真正去把那些策略、愿景落实到具体的目标、计划上。但面对失败时人们却通常把责任归咎于战略决策的失误。其实在大多数情况下，战略本身并没有问题，最根本的问题是这些组织严重缺乏优秀的执行者！

周恩来总理本身就是一位极为出色的执行者，而他身边的那些工作人员大部分也都是非常优秀的执行者，这与周总理的要求和帮助是分不开的。

在纪东的《难忘的八年——周恩来秘书回忆录》中写道，周总理很注意提高身边工作人员的执行水平，为此对他们提出了一些要求。例如要抓紧一切时间阅读各种书籍、资料来提高思想水平和综合分析能力等等。在实际工作中总理的要求也很高，从不允许有半点敷衍、应付，"大概"、"可能"之类的回答是绝对通不过的。总理曾讲过，办任何事情，都要多问些情况，要想到有关的问题。这样，你们报告情况就主动了。他还要求下面的工作人员凡事要多联想、多设问。

企业需要不折不扣的执行者。无论什么时候，企业都在寻找坚决服从决策，注重效率和结果，主动创新的卓越的执行者。其实许多成功企业的背后，都有着强大的团队执行力支撑。在他们的内部，凝聚着一批优秀的执行者，他们对于卓越孜孜以求。

最优秀的执行者，是最能解决问题的人。解决问题能力的强弱决定了执行力的高低。2001年，华为公司软交换产品遭遇挫折，之前开发的"SoftX1000"产品只卖出了二十多套，"SoftX2000"产品一套都没有卖出去，华为被友商远远甩在了后面。为此，华为计划推出新的软交换产品"SoftX3000"，以扭转当时的不利局面。让"SoftX3000"具有强劲的竞争力，这对当时担任系统工程师的吴东君来讲，是朝思暮想的事情。俗话说"自古华山一条路"，有路就有希望，虽然艰险，跨越过去，就是成功。吴东君一方面快速充电，一方面广泛征询建议，博采众长。一定要推出"移动和固定两个领域融合的软交换产品"！在他的脑海中，"SoftX3000"架构方案渐渐清晰。

对优秀的执行者而言，一旦接受了任务，就意味着自己已经做出了庄严的承诺，就意味着面对任务，不讲条件、不找借口，无论遭遇什么样的困难，都要保证完成任务，不能打半点折扣。

2001年4月的一天，技术专家们齐聚南山脚下的一间茶馆，进行《"SoftX3000"架构方案规划》终审。面对众多专家抛出的疑问，吴东君逐一解答；面对专家们的意见，吴东君虚心汲取，并现场记录下来进行修改和完善。他知道，只有充分汲取大家意见的精华，才有可能柳暗花明。最终，《"SoftX3000"架构方案规划》获得通过，这一方案不仅承载着"移动交换和固定交换两个领域的融合"，还承载着"2G 和 3G 的融合"。会议休息之余，吴东君环顾周围，生机勃勃，信心满满：新架构的移动固定软交换"SoftX3000"一定能像南山上的绿林，枝繁叶茂，郁郁葱葱。之后不到半年，吴东君和他的团队顺利完成了整个产品架构的搭建。2002 年，华为移动固定软交换"SoftX3000"在市场上一亮相，便震撼业界，此后数年成为公司最赚钱的产品之一，核心网竞争力领先全球。

作为一名优秀的执行者，一定不能满足于"差不多"的执行效果，一定要求自己做到 100%，只有 100% 的结果才是能够让人满意的唯一结果。

要想成为一名优秀的执行者，就必须具有积极主动的品质，自觉地从被动执行走向主动执行，这样才能获得机会的眷顾，成就卓越。

第四节　时间管理原则

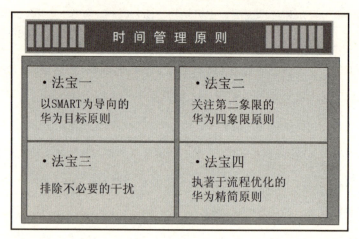

时 间 管 理 原 则

- 法宝一
  以SMART为导向的
  华为目标原则

- 法宝二
  关注第二象限的
  华为四象限原则

- 法宝三
  排除不必要的干扰

- 法宝四
  执著于流程优化的
  华为精简原则

执行和效率是密不可分的，高效的执行者，必然是一个最强调效率的人。高效的执行者之所以取得成功，就在于他们能够杜绝浪费时间，能够有效地运用和管理好自己的时间，去做他们该做的事。

华为为了提升员工的工作效率和执行能力，特别开设了时间管理这一课程。其时间管理培训的第一部分，就是让受训者清楚地了解一般企业在时间管理上的两大误区。

第一大误区也是最普遍的误区就是工作缺乏计划性。华为的时间管理培训指出，大量的时间浪费来源于工作缺乏计划。比如：没有考虑工作的可并行性，结果使并行的工作以串行的形式进行；没有考虑工作的后续性，结果工作做了一半，就发现有外部因素限制只能搁置；没有考虑对工作方法的选择，结果长期用低效率高耗时的方法工作。

　　第二大误区就是不会适时说"不"。华为认为，在一个团队当中工作的人最常见的一种情况就是不会拒绝，这特别容易发生在热情洋溢的新人身上。新人为了表现自己，也不管自己能不能胜任，往往把来自于各方的请托都一一不假思索地接受下来；有的老员工碍于情面，对于团队其他成员的托付也不好意思开口拒绝。但这显然不是一种明智的行为。

　　事实上，量力而行地说"不"，对己对人都是一种负责。首先，自己答应了不能胜任请托的工作，不仅徒费时间，还会对自己其他的工作造成障碍。同时，无论是工作延误还是效果无法达标，都会打乱请托人的时间安排，结果"双输"。

　　所以华为一向强调，接到别人的请托，不要急于说"是"，而是分析一下自己能不能如期按质地完成工作。如果不能，那要与请托人具体协调，在必要的时刻，要敢于说"不"。

　　虽然有道是"成功地界定问题就已经解决了问题的一半"，但如果没有切实可行的解决方案，困境还是不会改变。华为对于时间管理有自己的四大法宝：

法宝一：以 SMART 为导向的华为目标原则

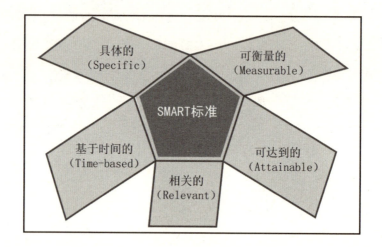

华为的时间管理培训指出，目标原则不单单是有目标，而且是要让目标达到 SMART 标准，这里的 SMART 标准是指：

具体的（Specific）。指目标必须是清晰的，可产生行为导向的。比如，目标"我要成为一个优秀的华为人"不能算是一个具体的目标，但目标"我要获得今年的华为最佳员工奖"就算得上是一个具体的目标了。

可衡量的（Measurable）。指目标必须用指标量化表达。比如上面这个"我要获得今年的华为最佳员工奖"目标，它就对应着许多量化的指标——出勤、业务量等。

可达到的（Attainable）。这里"可达到的"有两层意思：一是目标应该在能力范围内；二是目标应该有一定难度。一般人在这点上往往只注意前者，其实后者也相当重要。目标经常达不到的确会让人沮丧，但同时得注意：太容易达到的目标也会让人失去斗志。

相关的（Relevant）。这里的"相关的"是指与现实生活相关，而不是简单的"白日梦"。

基于时间的（Time-based）。"基于时间的"就更容易理解了，它是指目标必须确定完成的日期。在这一点上，华为的时间管理培训指出，不但要确定最终目标的完成时间,还要设立多个小时间段上的"时间里程碑"，以便进行工作进度的监控。

法宝二 : 关注第二象限的华为四象限原则

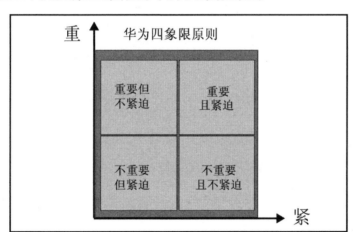

根据重要性和紧迫性，华为将所有的事件分成四类（即建立一个二维四象限的指标体系），它们分别是：

第一象限是"重要且紧迫"的事件，例如：处理危机、完成有期限压力的工作等。

第二象限是"重要但不紧迫"的事件，例如：防患于未然的改善、建立人际关系网络、发展新机会、长期工作规划、有效的休闲。

第三象限是"不重要但紧迫"的事件，例如：不速之客、某些电话、

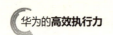

会议、信件。

　　第四象限是"不重要且不紧迫"的事件，更直接地来说是"浪费时间"的事件，例如：阅读令人上瘾的无聊小说、收看毫无价值的电视节目等。

　　华为在时间管理培训中指出，华为除了和其他企业一样将第三象限收缩和第四象限舍弃之外，在第一象限与第二象限的处理上，并没有按常理把第一象限放在首位。因为华为认为，当一个团队长期处于高压力的工作状态下，经常忙于收拾残局和处理危机，很容易使人精疲力竭，长此以往既不利于个人也不利于企业的发展。

　　新员工在进华为之前或在华为工作的初期，往往有一个想法就是让自己时刻处于忙碌状态，总是寻找那些重要紧迫的事情去做，一段时间里天天加班，状态很差，而且工作质量也不尽如人意。后来转换了关注的方向，发现整个感觉都改变了。这主要是因为第一象限与第二象限的事本来就是互通的，所以华为鼓励员工多关注第二象限的事件，这样自然就能使第一象限的事件也相应减少。而且处理时由于时间比较充足，效果都会比较好。人也更有自信了。

法宝三：排除不必要的干扰

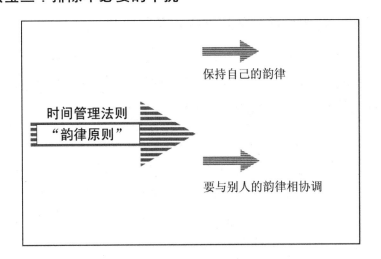

据日本专业的统计数据指出："人们一般每 8 分钟就会受到 1 次打扰，每小时大约 7 次，或者说每天 50 ～ 60 次。平均每次打扰大约是 5 分钟，每天大约 4 小时，也就是说员工在工作中约 50% 的时间都处于被打扰状态。其中 80%（约 3 小时）的打扰是没有意义或者极少有价值的。此外人被打扰后重拾原来的思路平均需要 3 分钟，每天大约就是 2.5 小时。"根据以上的统计数据，可以发现，每天因打扰而产生的时间损失约为 5.5 小时，按 8 小时工作制算，这占了工作时间的 68.7%。

华为也明显认识到"打扰是第一时间大盗"这一现象。为了解决这个问题，华为提出了自己的时间管理法则——"韵律原则"，它包括两个方面的内容：一是保持自己的韵律，具体的方法包括：对于无意义的打扰电话要学会礼貌地挂断，要多用打扰性不强的沟通方式（如 E-mail），要适当地与上司沟通以减少来自上司不必要的打扰等；二是要与别人的韵律相

协调，具体的方法包括：不要唐突地拜访对方，了解对方的行为习惯等。

法宝四：执著于流程优化的华为精简原则

"崔西定律"是指："任何工作的困难度与其执行步骤的数目平方成正比。例如完成一件工作有 3 个执行步骤，则此工作的困难度是 9，而完成另一工作有 5 个执行步骤，则此工作的困难度是 25，所以必须要简化工作流程。"

华为在各个部门推行简化工作流程，无论是对于个人工作的流量，还是部门的工作流量，遵循一个原则就是"能省就省"。分析工作流程的网络图，每一次能去掉一个多余的环节，就少了一个工作延误的可能，也就意味着大量时间的节省。

链接

通用电气：甄选优秀人才

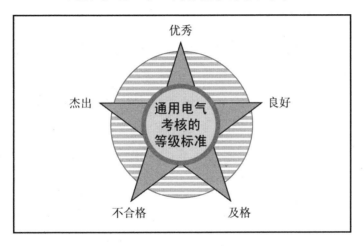

世界 500 强排名前列的美国通用电气之所以持久而强大，很重要的原因在于它拥有一套科学合理的内部考核制度，能够及时地发现与提拔公司内部有能力的人才。

通用电气公司每年都要对公司的职员进行统一考核，职员经过考核后，确定为五个等级。第三至第五级的人员将获得职务或工资上的提升，第五级的职员要受到超级提拔。该公司对待后两级职员不是简单地辞退了事，而是首先搞清他们工作不好的原因，然后给予他们再工作 6 个月的机会，让他们改进工作。在改进工作期间，公司对这部分人分三种情况处理：①重新分配工作；②减少他们原承担的责任，降级使用；③工作无法改进则解雇。

通用电气考核的 5 个等级标准如下：

1. 杰出。具有超出完成正常工作定额的能力。经常对业务经营做出贡献，成为某一领域里的专家；能独立地用基础理论去解决本工作以外的问题；曾被委托执行高水平的工作且成绩显著；在很困难的环境中工作也从未产生问题；能够及时抓住具有首创性、挑战性的工作目标，并能取得成功；是一个精通业务、处理事务稳妥、有潜力的人。

2. 优秀。在执行和完成具有挑战性工作的目标时工作出色，每一项课题或工作都能及时、彻底完成，成绩比预期的要好；非常胜任本职工作，工作中能从全局出发；工作上值得信赖，只需要有限的辅导和监督。

3. 良好。工作称职，具有足够的潜力去完成交予的任何工作任务，是承担项目的主要业务骨干；工作质量和数量上都比较完善，不需要过多的辅导和监督。

4. 及格。经常不能满足所承担的职务上的要求；不具备独立工作能力，必须在辅导和监督下完成工作。假如适当调整到新的工作岗位，改进他们的工作，有可能成为好职员。

5. 不合格。不能完成工作定额，产品经常不合格；不具备独立工作能力，过分依赖于辅导和监督，自己不知道去做好工作。调换了工作岗位仍无济于事，没有改进工作表现的可能。

通用电气对每个职员的考核是经常性、制度性的。每年初公司包括总经理在内的每个人都要制订目标工作计划，确定工作任务和具体工作制度。这个计划经主管经理审批并与本人协商确认后予以执行。每 3 个月对工作计划进行一次小结，核查执行情况，并由经理写出评语，提出下一步工作改进要求。

到年底作总结考核，先由本人填写总结表，按公司统一考核标准，衡量自己一年来工作的完成情况，拟出自己应得的考评等级数，交主管经理评审。主管经理根据职员表现情况确定其等级，并写出评价报告，对评为杰出的人物还要附上其贡献和成果报告，并提出对他们的使用建议和使用方向；对差等级的职员也要附有专门报告和使用建议。职员的评价报告要经本人复阅签字，然后由上一级经理批准。中层以上报告和使用要由上一级人事部门经理和集团副总经理批准。

在审查全部考核评价表以后，由人事部门按照要求和公司的工作需要，将提高工资和提拔职务的职员分类，分别提升、晋级、培训。

通用电气公司的经理们从长期的实践中深深懂得了人才是他们成功的保证。他们也因此拥有世界上第一流的技术和管理人才，使得通用电气能在激烈的竞争中保持不败并处于领先地位。

不在华为看华为

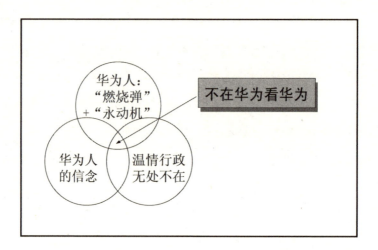

　　我不是华为人，但身处约旦这个中国人较少的国家，自然少不了与华为人的接触与交往。日子久了，就成了莫逆之交，对华为也产生了一种别样的情结，有了自己的印象和看法。

华为人：“燃烧弹”＋“永动机”

　　在约旦认识的第一个华为人，是约旦代表处的代表汪浩杰。初见这个虎头虎脑的可爱老乡，是在使馆举行的活动上，当时我和一群人聊得正欢，转头瞥见一脸深沉的汪浩杰，便过去交换名片，然后职业性地问了问华为在约旦的发展情况。一提到华为在这片异乡土地上所留下的步步足印，提到华为将在更广阔的周边国家所构建的幅幅蓝图，刚刚还沉默严肃的汪浩杰立即"激情燃烧"起来，兴奋地向我介绍华为是如何在约旦站稳脚跟，并将触角伸向周边，在那里开创出一片新天地的。那种神情，不像一个员工在说起自己的工作，更像一个父亲提到自己的孩子。自此以后，见汪浩杰，我绝不担心找不到话题，因为只要谈及华为，便如同点着了一根导火索，将他的满腔激情燃烧起来。还有一次，他的腿因病痛肿得像馒头一样，只能靠另一条腿一蹦一蹦地给前去探病的我们开门，然后躺在沙发上疼得龇牙咧嘴，但我仍听到人说："汪总星期五还一瘸一瘸地到公司开会"、"汪总今天居然还和我们一块儿去见客户了"。经过实践证明，这样的"燃烧弹定律"可以用在任何一个我认识的华为人身上，即使是平常看似木讷的人，只要问他和工作、专业相关的问题，他便会滔滔不绝起来。

然而，在相当多的情况下，和华为人做朋友都是让人颇有些"郁闷"的一件事。吃饭吃到一半，手机铃声大作，便不得不赶回公司，留下我独自一人收拾残局；约好晚上6点去逛街，但往往等到7点仍被告知"还在加班，再等我一会儿"。有一晚熬夜写稿，到凌晨2点才完成，心血来潮便给一个华为的朋友打电话，原以为会听到睡得迷迷糊糊的一通埋怨，却没料到电话那端还有一群人在讨论什么"基站架设"的问题。习惯了他们这样不疲不休的工作方式后，我常常戏谑我的华为朋友——你们就像一台台"永动机"。

温情行政无处不在

人当然不是"永动机"，需要放松，需要休息，需要娱乐。华为约旦代表处有一座三层的小楼，集餐饮、娱乐、健身、住宿等各种功能于一体，大家习惯称之为"villa"。"villa"的地下一楼是各大奖项的主要诞生场所，如在卡拉OK区诞生的歌唱比赛奖，在乒乓球桌旁诞生的男女组冠军；而各种各样的健身场地、器械更是为其他定期或不定期举办的足球赛、篮球赛等奠定了坚实的物质基础。地面一楼是食堂，我有幸在那里尝过掌勺华为约旦代表处食堂的国家三级厨师汪师傅的手艺。先撇开精美的色香味不提，单是能在远离祖国的异国他乡吃到地地道道的中国风味这一点，已经让我羡慕不已。更何况，据说很多诸如香肠、腊肉、辣酱一类的原材料是深圳总部特意寄送过来的，这一份浓浓的关切之情，或许正是"永动机"工作的润滑剂。

时入严冬，约旦也一日冷似一日，周末，我便拽着在华为人力行政部工作的死党去买冬装。行至一半，她忽然自言自语道，"那天听某某说他盖的被子还是夏天的薄被，不知道现在会不会冷了"，说完便扭头进了一家卖被褥的商铺，细心挑选了一床冬被给该同事送去。再一日，她说因天气转凉，好几个从国内和海外其他代表处前来支持的人员都因气候转变，偶感风寒，咳嗽不止，而当地的药品又不太适合中国人用，便在代表处内部发起了一场小型的捐药活动，未几，便收到不少各类药品，解决了抱恙之人的燃眉之急。此类故事，无不让我这个非华为人唏嘘不已。

华为人的信念

有时自己也会觉得奇怪，我有不少朋友，在同一家单位共事的朋友我也有不少，但是能让我将数个性格鲜明的个体总括到一个单位集合中，并将其作为一个集体来研究的，却只有华为人。为什么在想到朋友甲乙丙丁时，一定会想到是"华为的朋友甲乙丙丁"？为什么当甲乙丙丁说到某些观点时，一定会归纳演绎后得出结论"原来华为人是这样的"。我想，除了因为他们有着相同的工作精神，有着相似的生活态度以外，还因为他们有着相一致的文化理念。

"胜则举杯相庆，败则拼死相救"，当第一个朋友跟我提及华为著名的"狼性"文化时，我淡然一笑；"烧不死的鸟是凤凰"，当看到第二个朋友以此作为激励自己的信条，我逐渐体会到一种精神所能产生的凝聚力和向心力；而当第三个朋友边说着"冬天到了，春天还会远吗"，边来劝解遇到困难的我时，我愕然了，叹道，"你们为何对华为的文化如此坚信不疑？"

记得很清楚，当时我得到的回答是，"因为华为的文化和我们本身的价值取向不谋而合，无论是当初进华为时的一轮轮笔试、面试，还是之后长期的工作，都是一个相互选择的过程。我符合华为的企业文化，所以我被选择进入华为，被选择担任现在的岗位；华为的精神符合我的价值观，所以我选择继续留在华为，做一个华为人。"

（摘编自华为内刊《华为人》第184期，2007年2月）

忘记我是博士后

今天写这篇成长经历，不是为了总结一个博士在华为公司成长的过去，而是为了反思自检，在新的工作中更加斗志昂扬。

华为为什么在 10 年的时间里持续高速地发展？你看得见老板头上的白发，你看得见李一男"瘦弱"的身躯，你看得见一位位研发产品经理头上渐少的青丝，你看得见一位位普通开发人员连续数月放弃休息日……看了这些，应该明白华为为什么能持续高速地发展！不否认有一些人对华为说三道四，不理解，没关系，这只是因为他们不懂华为，不懂竞争，不懂生存。从床垫文化到吃文化，从产品线的摸爬滚打到更高层次的研究开发，从个人素质的提高到团队战斗力的提高，华为人知道：在电信行业新一轮的竞争中，项目可以失败，人不可以失败。

到华为已经 4 年，有一位同事走了，走的时候说，一只青蛙要不被慢慢煮死，要不就猛地跳出来。我却留下来，因为我不认为自己是一只青蛙。我知道自己能做什么，能在华为这样一个巨人的平台上做什么。

获得博士头衔让人积累了很多，但也容易让人背上包袱。每次亲友聚会，人们就只会停留在我的博士头衔上。博士很了不起吗？博士需要别人另眼相待才能生存吗？在发展中的华为，我，不过就是我们华为人中的普通一员。

我 1996 年从浙江大学来到深圳,成为华为公司(深圳市)培养的第一批博士后。当时的研究课题是虚拟现实,但是我很快发现在华为公司做这个课题还不现实。我仅仅做了一个月的博士后,就开始研究 H 产品急需的 T120 协议,成为一个开发经理,学习如何进行软件开发项目管理。1998 年 8 月出站时,我的导师刘启武说"我早已忘记他还是一个博士后",当时我已经成长为 H 产品经理和某部门管理办主任。

1998 年,H 产品进入生死存亡的关头,硬件单板从开发出来后没有进行一次升级,软件面临国外产品互联互控的问题,整个系统处于不稳定状态。中研总部对 H 产品线进行了一次大调整,我开始负责软件工作。当时华为在宁夏开了第一个省网,单板时有故障,于是集中软件精英,全部开赴现场,开始"银川鏖战"。在银川的一个月时间里,我们一个字节一个字节地读程序,与标准的相比较,终于发现并解决了问题。

返回深圳后,就与产品经理协同说服领导,建立大规模、满配置测试环境。在 4 号楼的一个房间,我们软件人员开始了一个月的"软件攻关集中营"生活。我们十来个人分为开发和测试两个组,自己负责协调,推动测试环境的不断改建,推动开发人员解决测试出来的问题。在这个环境里,我们曾切断 NOTES 系统,切断电话线;在这个环境里,我们开始学习建立软件版本库,开始学习进行版本控制;在这个环境里,我们曾与前方开局演示的将士们协同作战,同步解决技术问题;在这个环境里,我们首创提出了"虚拟 MCU"、"虚拟终端"等大网组建思想,并一一付诸实施,解决了福建、云南等地的组网问题;在这个环境里,我们软件组将士们忍辱负重,从"集中营"出来的时候,问题反馈单累积了七百多张,从"集中营"出来的时候,熟练的开发人员从 2 人增长到近 10 人。那是一个火红的 5 月,那是我和战友们共同奉献和进步的 5 月。

那之后，H 产品的市场形势仍然是屡战屡败，而我们仍然是屡败屡战。7 月，我接任产品经理，开始了扭转市场形势和开发新型产品的征程。9 个月的汗水，没有胜利的喜悦，我在这块艰难的战场上失败了。

我曾经找出许多客观原因，后来又挖掘出更多的主观原因，这些失败的根源成为我"最大的财富"。回顾为什么失败，首先是自己离一个职业经理人还有很大的差距，因为这之前的成长历程给我造成一个认识上的误区：只有同类型的人才能合作，当时的直接领导和副手与我的做事风格都不一样。现在回头看，大家在管理方面都很幼稚，最终没有建设出一支团结合作的队伍；其次是自己对产品线事务性工作的不适应。比如某单板升级中止，自己作为产品经理竟然没有采取果断的措施；某单板在生产中出现问题，自己虽然已经认识到可能与产品质量有关，却仍然在第三天才派出开发人员。这样的事如果可以说是对硬件外行，那么在软件升级过程中，只考虑跟随新版本的标准，根本没有考虑网上产品新老版本兼容，就暴露出自己对"产品"二字认识的肤浅了。这些由于个人的幼稚而造成产品形象受损的事还有很多，也许现在的一些产品经理可以从中借鉴。而我自己的经历与别人的经验又是完全不同，反省自己的错误，是因为我自己从未放弃重上战场的梦想。

从激烈的一线战场上下来，领导对我进行了意味深长的培养。从 1999 年 5 月至 9 月，我在研发特别工作小组做技术任职资格工作，制定并推广工程师级别标准，从中锻炼了工作方法，亲身体验到哈佛 MBA 教程中"权力与影响"的区别。同年 9 月至 12 月，又到浙江做货款回收工作。在货款回收支援工作中磨炼了意志，更有意义的是重新获得了自信。从别人手上拿钱都拿得到，还有什么做不到呢？

从催款的战场上回来，立即投入新一轮的会战中——到 X 预研项目组。

新千年中国通信行业群雄纷争，这对于消费者是好消息，对于设备制造商则是好机会。华为公司如何向新兴的电信运营商提供网络综合解决方案，与运营商合作成为战略伙伴，这是关系全公司的大事。展望未来，这也是 X 预研项目组和新运营商工作组共同的、首要的工作目标，也是每个华为人发挥管理和技术才能的新的机会。

今后，我将继续保持对技术的敏感，对产品和市场主动进取，锻炼争取成就的狼性，锻炼百折不挠、屡败屡战的斗志，锻炼在逆境中不屈服、不放弃自我进步的坚韧性。在 X 项目组中不断提升技术层次，利用并建设良好的前瞻研究氛围；在新运营商工作组中直接面对用户，建设高层次开发团队。

曾经辉煌和火热，曾经沮丧和痛苦，在新千年的巨大机遇浪潮中，我要忘记自己的桂冠，以一个华为真正的"博士后"的心态，信心十足地踏上新的征程。

（摘编自华为内刊《华为人》第 107 期，作者：张爱东）

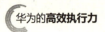

第三章

华为的高效执行系统

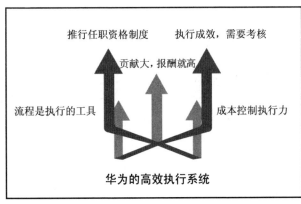

推行任职资格制度　　执行成效，需要考核

贡献大，报酬就高

流程是执行的工具　　　　　　成本控制执行力

华为的高效执行系统

HUAWEI DE
GAOXIAO ZHIXINGLI

第一节　流程是执行的工具

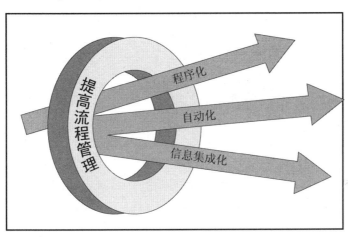

我们常说世界500强、跨国公司员工的执行力强，它们的员工为什么执行力强？是因为职业化素质比较高呢还是因为他们天生就具备"自动自发"的主人翁精神？

显然，没有人可以奢望员工自动自发地工作，那不过是理想的乌托邦状态。正如史玉柱在一次电视节目上所说：永远不要期望员工像老板一样工作，那不现实。事实上，无论在什么企业，能够自动自发工作的员工都寥寥无几、凤毛麟角。

真正让跨国公司的员工具备强执行力的，是它们的流程管理。流程决定了员工做事的程序和步骤，也厘清了员工的岗位职责和执行标准。流程就是执行的工具，当所有员工都能够按流程执行的时候，他们的执行力也就得到了基本的体现。

重视流程管理的公司，总是要比不重视流程管理，甚至没有流程的公司优秀。其中的原因，就是流程厘清了每个人的职责，提升了员工的效率，使企业的执行力得到了提升。

从本质上讲，流程管理解决的是最终效率问题。它的作用是理顺部门与部门、岗位与岗位之间的输入输出关系，使员工明确各自的职责所在以及在流程中所处的位置。

在戴尔，每一位员工都被要求严格按流程作业。在流程管理中，每个人的价值与意义都是程序预先设计好的，任何与这个流程冲突的，不管是个人价值的放大或者缩小，都不会被允许。换句话说，在戴尔设定的流程管理中，个人的能力并不重要，重要的是个人能不能满足流程的设计标准。实际上，流程管理贯穿了戴尔的一切：无论是产品的装配还是客户的凝聚，都是靠流程控制；每一位戴尔的员工，无论职位高低，只有严格按照流程进行作业，并注意做细业务的每一方面，才能满足要求。[①]

管理流程的核心是流程，流程是任何企业运作的基础，企业所有的业务都需要流程来驱动，就像人体的血脉。流程把相关的信息数据根据一定的条件从一个人（部门）输送到其他人员（部门），得到相应的结果后再返回到相关的人（或部门）。

华为的成功主要源于持续的管理流程变革和以客户为中心。著名管理专家、并购专家王育琨在其文章中这样写道："管理西化，是华为在全球

① 王育琨.任正非：华为最基本的使命就是活下去.中国经济周刊

化进程中不得不过的一道门槛。你可以有很好的广告、很前卫的展示、很好的个人交流，但是国际厂商更重视你的内功。2005 年，华为终于挤进英国电信（BT）21 世纪网络供货商短名单，看上去好像比试的是技术和产品的性价比，而实际上考量的是质量保证体系。"

"刚开始华为人接触英国电信（BT）时经常遭到冷遇，因为英国人不相信中国人能制造出高质量的交换机。那时华为甚至连参加招标的机会都没有。后来，华为人终于知道了 BT 的规矩：要参加投标必须先经过他们的认证，他们的招标对象都是自己掌握的短名单里的成员。2002 年开始，华为请英国 BT 对其做了两年的管理认证，到 2004 年华为才被列入他们可以角逐的短名单中。他们来华为考核时，技术并非首先要考虑的，而管理体系、质量控制体系、环境等才是最重要的，要保障华为对客户交付的可预测性和可复制性。BT 的考核还包括华为合作伙伴的运营和信用考查，华为的供应商资信审核，甚至包括华为给员工提供的食堂、宿舍等生活条件，还对华为的供应商为员工提供的条件也予以关注。最终华为在总共 5 项指标中获得了 4 个 A。这一段经历，让任正非深刻体会到，企业组织的可复制能力与可预测性，体现在一系列流程和内外环境的模式化力量上，这已经成为现代规模管理的基础，华为必须跨越这个门槛。"

当企业发展到一定阶段之后，随着内外部竞争以及整个社会大环境的变化，原有的业务流程总是会出现不能适应现今需要的地方。特别是像华为这种处于快速发展中的高科技企业，其原先那一套适用于小公司生产服务的流程必然会随着企业成为大公司而出现诸多制约发展的瓶颈。此时，要想在竞争中取得进一步的发展，就必须对原有的业务流程进行系统的分析，根据企业自身的发展特点，对业务流程进行再造，以使业务流程达到

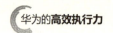

效率更高、成本更低、对需求变化的反应更快的目的。

海尔集团，就是通过完成实施市场链与业务流程的再造，在观念、组织结构、价值分配方式等方面都取得了建设性的创新。基于形势上的变化，以及像海尔这样一些运用流程再造推动发展的优秀企业的实例，华为开始明确地把流程的改造作为一项重要任务来抓。在《华为公司基本法》中提出："提高流程管理的程序化、自动化和信息集成化水平，不断适应市场变化和公司事业拓展的要求，对原有业务流程体系进行简化和完善，是我们的长期任务。"

华为对其业务流程的基本要点和要达到的水平也在基本法中进行了明确：

建立和健全面向流程的统计和考核指标体系，是落实最终成果责任和强化流程管理的关键。顾客满意度是建立业务流程各环节考核指标体系的核心。处于业务流程中各个岗位上的责任人，无论职位高低，行使流程规定的职权，承担流程规定的责任，遵守流程的制约规则，以下道工序为用户，确保流程运作的优质高效。

对于华为的流程再造，任正非在给员工讲话时多次强调指出："要改革一切不合理的流程，使重复性的管理制度化、操作简单化、重复的劳动自动化。"

IBM 专家提出的把工作任务分解的方法对华为的员工触动很大。以前华为的研发管理只是针对需求描述、概念形成、产品初步设计等阶段以及一些重要的工作任务，较为粗略地把整个工作体系进行了分解和描述；而在 IBM 专家的要求和技术支持下，现在华为需要把阶段和任务细化成"活动"，而且针对活动需要有详细的描述和必要的量化指标。

2009 年 4 月 24 日，任正非在华为运作与交付体系奋斗表彰大会上讲道 :"'投标、合同签订、交付、开票、回款'是贯穿公司运作的主业务流，承载着公司主要的物流和资金流。针对这个主业务流的流程化组织建设和管理系统的建设，是我们长期的任务。由于我们从小公司走来，相比业界的西方公司，我们一直处于较低水平，运作与交付上的交叉、不衔接、重复低效、全流程不顺畅现象还较为严重。DSO、ITO 较业界同行还有较大差距，库存和资金周转的改善和 E2E 的成本降低有很大的改进空间，是公司运作上深淘滩、低作堰的主战场，另一个业务流 IPD 是设计中构筑成本优势的主战场。"

当每个人都忠实于制度、忠实于流程，而不是忠实于某个人的时候，公司就会形成良好的企业文化和执行力，并在健康发展的道路上不断前进。

明白了流程管理的好处，我们就要调整对流程的态度，做到像日本人那样，宁肯相信秤，也不要相信手感，百分百地按流程执行。

由于流程管理是在改变大家以前的工作习惯，重塑一种新的工作习惯，所以在公司实施流程管理的前期，大家都会觉得很别扭、不习惯，甚至出现效率低下的现象。其实，这都是正常的。因为流程解决的不是哪一个人的效率问题，而是整体的效率问题。随着人们对流程的熟悉、磨合及不断优化，这种效率就会变得非常明显。

第二节　推行任职资格制度

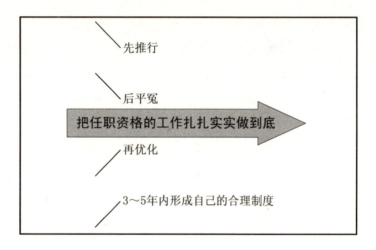

先推行

后平冤

把任职资格的工作扎扎实实做到底

再优化

3～5年内形成自己的合理制度

　　华为在创立 10 年后，迎来了业务发展迅速、公司规模飞速扩张的黄金时期。但是，和中国许多民营企业一样，华为也遇到了管理上的棘手问题。

　　随着生产规模和员工队伍的迅速膨胀，华为的管理层次不断增加，问题也就接踵而来。由于层级太多，各部门之间难免形成管理交叉，于是管理混乱、执行效率低下的问题就出现了。此外，由于当时华为对员工的工作没有一个评价标准，导致员工们不知道工作执行到什么程度才是合格的，什么程度才是好的，也导致员工工作积极性受到影响。任正非认识到必须要建立一个执行标准来对员工进行评估。

　　任正非表示，华为初期的管理实际上是在发扬 20 世纪 50 年代和 60 年代党的优良作风，那时毛主席提出科技人员要走与工农相结合、与生产实践相结合的道路，如今华为公司的"工人、农民"就是生产线上的博士、硕士。为什么那时的优良作风没有发扬到今天？就是因为没有形成一个正确的价值评价体系。华为推行的任职资格评议系统就是一种价值评价体系。"我们要通过价值评价体系把好的优良作风固化下来，使之像长江之水一样奔流不息，这将使我们走向光明的未来。"

1996年底，华为聘请了美国HAY咨询公司香港分公司作为华为的顾问，帮助华为建立任职资格评价体系。在HAY的帮助下，华为建立了职位体系、薪酬体系、任职资格体系、绩效管理体系及员工素质模型等重要的人力资源管理制度。任正非说道："我们引入美国HAY公司的薪酬和绩效管理的目的，就是因为我们看到沿用过去的办法，尽管眼前还活着，但是不能保证我们今后继续活下去。现在我们需要脱下草鞋，换上一双美国的鞋，但穿新鞋走老路照样不行。换鞋以后，我们要走的是世界上领先企业走过的路。这些企业已经活了很长时间，它们走过的路被证明是一条企业生存之路，这就是我们先僵化和机械引入HAY系统的唯一理由，换句话讲，因为我们要活下去。"

随后，任正非又派华为高级管理人员专门到英国学习职业资格认证，并引进了久负盛名的英国NVQ企业行政管理资格认证，首先从秘书部门开始在华为开展了企业行政管理资格认证。华为依照英国NVQ企业行政管理标准体系建设公司人事管理和人员培训的平台，建立文秘行为规范，并根据华为自己的实际情况修订和细化了文秘资格标准，建立了一套符合华为实际的有多个级别和层次的任职资格考评体系。

1997年，华为开始与国际著名人力资源管理顾问公司合益集团（The Hay Group）合作，为华为设计并实施了员工薪酬体系。任正非希望通过引进先进的任职资格体系与员工薪酬体系，再结合华为的实际情况，从而使华为的管理水平与国际接轨。任正非认为，英国这个国家，法制管制和它的企业管理条例是非常规范化的，在世界上应该是高水平的。英国的任职资格体系虽然是个非常好的体系，但就是缺少一个生命活力。因此，华为把美国合益公司的这个薪酬体系控制制度引入了任职资格体系。

任正非表示："任职资格的推行不是机械唯物主义的、形而上学的推行，而是达到管理进步的真正意义上的推行。"

他在一篇文章中这样写道：

"华为公司不是等待目标已经实现以后再予以评价，而是在发展过程中进行评价，这使评价的准确性更加困难。当一件事情做完了来对它评价，是很容易的；当一件事情做了一半来对它评价，是很难准确的。我们能等到事情全部做出来以后再作评价吗？那是不行的。我们只有在事物的发展过程中进行评价。"

"评价是通过人做出来的，尽管委员会的委员们很公正，但他们也是人，也是活生生、有血有肉的人，也难以摆脱个人对事物、问题的认识的局限性。因此不可能做到所有的评价让人人都满意。企业要迅速发展，不能等待事事有结果之后再实行盖棺论定，每一阶段的评定必有不正确的地方。我们要求各级部门要尽量公平、公正，但我们更要求干部要能上能下，工资要能升能降，要正确对待自己，也要能受得了委屈。如果不能做到，企业必定死亡。

"一定要把任职资格的工作扎扎实实做到底，先推行，后平冤，再优化，3～5年内形成自己的合理制度。我认为我们公司就有了生存下去的希望。

"我想，在推行任职资格的过程中肯定会遇到重重阻力，但这个体系是一定要坚持下去的。那种对人的评价靠感性的评一评、估一估的时代已不能再持续下去了。对人的评价靠'蒙一蒙'、'估一估'，定位的准确性是不高的，这对我们今后的发展会造成更大阻力，这样会挫伤优秀员工的积极性，同时保护了一些落后员工。所以要坚决推行干部任职资格体系。当然，外国的先进管理体系要结合华为公司的具体情况，不能教条主义。在一种制度向一种制度转换过程中，新鞋总是有些夹脚的，也可能挫伤一部分同志。我们的方法是坚决推行已经策划好的任职资格管理，然后再个案处理个别受冤屈的同志，然后展开全面优化，使发达国家著名公司的先进管理办法，与我们的实践结合起来，形成制度。"

任正非认为，华为要坚定不移地继续推行任职资格管理制度。只有这样才能改变过去评价的"蒙"、"估"状态，才会使有贡献、有责任心的人尽快成长起来。激励机制要有利于公司核心竞争力战略的全面展开，也要有利于近期核心竞争力的不断增长。

通过任职资格标准的牵引和培训学习的推动，华为得以将员工的职业化能力向着世界级企业所需要的高度推进。

第三节　贡献大，报酬就高

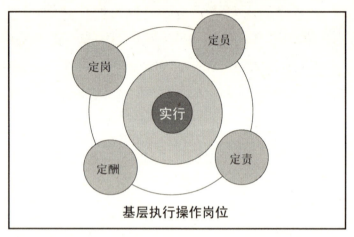

《太公兵法》云："夫用兵之要，在崇礼而重禄。礼崇则智士至，禄重则义士轻死……故，礼者士之所归，赏者士之所死。礼赏不倦，则士争死。"由此可见，胡萝卜政策是"古已有之，于今为烈"。礼者与赏者，其实就是胡萝卜政策的两大类别。作为公司或一个团队的管理者，需要通过员工的执行力去实现经营目标。然而，如果没有有效的激励，员工的士气就无法振作，目标就会变得虚妄。

任正非认为，企业一定要根据一个员工的工作业绩与贡献来确定其工作价值，并不是学历越高的员工得到的报酬就越多，而是要看员工个人所贡献出的最终业绩。

将员工报酬与贡献挂钩，必须要保证那些工作积极而又为企业做出杰出贡献的员工得到应有的报酬。通过这种引导，才可以有效提升企业的执行力。如果员工认为自己所得的报酬与所做出的贡献不对称，或者认为自己与别人为公司做出的贡献差异很大，但是得到的却是相同的报酬，这样不但不会促进企业执行力，相反还会使员工表现出怠工、消极和抱怨，甚至是委屈，这样企业的执行力只会下降不会有所提高。

管理学者史蒂格说："不能搞平均主义，平均主义惩罚表现好的，鼓励表现差的，得来的只是一支坏的职工队伍。"

华为有着丰富的人才储备。如今，在华为具有本科学历的员工所占比例超过80%，具有博士、硕士学历的员工人数也逐年增长，华为还从一些著名高校聘请教授做顾问。但是，在华为并不是学历高待遇就好。一切要根据贡献而定。任正非评价员工，看中的是发展潜力、执行能力和贡献，而不是学历和经验。

任正非表示，进入华为并不意味着高待遇，因为公司是以贡献定报酬的，凭责任定待遇。

华为以贡献来评价员工，而不是以知识来评价员工，这是企业价值评价体系和价值分配体系公正性和公平性的客观基础。

在华为，员工的机会都是均等的，只要在自己的岗位上有所贡献，就会得到相应的回报。

怎么使员工各尽所能呢？任正非认为，关键是要建立公平的价值评价和价值分配制度，使员工形成合理的预期，他相信各尽所能后你会给他合理的回报。而怎么使价值评价做到公平呢？就是要实行同等贡献、同等报酬原则。不管你是博士也好，硕士也好，学士也好，只要做出了同样的贡献，公司就给你同等的报酬，这样就把大家的积极性都调动起来了。

任正非非常喜欢研究和学习各国优秀的管理模式，而这些先进的管理

模式在针对人的管理中，个人收益与贡献大小几乎都是严格对等，不容有一点轻率的关系。任正非由此得到启发，并在华为的人力资源体系上进行了许多大胆的尝试。从而形成了华为现在的以绩效管理体系、薪酬分配体系和任职资格评价体系三位一体的人力资源管理架构。

这个管理架构最大的优越性就在于，华为对员工的评价不一定是职位越高，薪酬就越高。而是按照责任与贡献来确定任职资格，按照任职资格确定员工的职能工资。奖金的分配完全与部门的关键绩效目标和个人的绩效挂钩。就连福利分配，也是依赖工作态度的考评结果，医疗保险按级别和贡献拉开差距。这种改革的结果是员工必须年年都有进步，难以再依靠股票分红继续"吃老本"了。"工资分配实行基于能力主义的职能工资制；奖金的分配与部门和个人的绩效改进挂钩；安全退休金等福利的分配，依据工作态度的考评结果；医疗保险按贡献大小，对高级管理和资深专业人员与一般员工实行差别待遇，高级管理和资深专业人员除享受医疗保险外，还享受诸多健康待遇。"

在中国，很多企业人浮于事，工作效率低下，其中一个很重要的原因就是没有一套公平、公正的价值评价和价值分配制度，员工干得好与不好没有差别，导致工作积极性差，从而使整个企业死气沉沉，毫无活力。任正非认为华为的激励机制，可以激发员工的最大潜能。在华为，刚进去的硕士或博士，与本科员工在报酬和待遇上的起点是一样的，但很快，他们之间的差别就显现出来，因为个人对公司的贡献以及各自能力的差异不一样而导致所得报酬、所享受的待遇不一样。

新员工上岗前，基本工资是按照学历、成绩等因素确定；培训合格正式上岗后，员工的工资按照对公司做出的贡献来评价。这时华为不再是以学历为准，而只看他在华为能做出什么成绩，是以贡献论"英雄"了。任正非曾对新员工说："进入公司一周以后，博士、硕士、学士，以及在内地取得的地位均消失，一切凭实际才干定位，已为公司绝大多数人所接受。希望您接受命运的挑战，不屈不挠地前进，不惜碰得头破血流。不经磨难，何以成才。"

任正非十分重视人才的作用，但是，这并不影响他持有一种清醒而客观的看法，那就是必须重视一些具有奋斗精神、有责任心、有能力的优秀员工。"我们在报酬方面从不羞羞答答，坚决向优秀员工倾斜。我们坚决推行在基层执行操作岗位，实行定岗、定员、定责、定酬的以责任与服务作为评价依据的待遇系统，以绩效目标改进作为晋升的依据。"

第四节　执行成效，需要考核

执行有无成效，需要进行考核。没有建立有效的考核标准，会导致针

对执行成效的激励丧失。有效执行与无效执行得到的回报基本一样,没有体现出差别,会打击有效执行者的积极性。

考核要有力度。不能对优秀的执行成果视而不见,也不能纵容表现不佳者,否则,"表现不佳"会成为被传播和复制的坏习惯,影响执行效果。

许多国内企业很难给职能部门制定出一个可以量化、令人信服的考核方案,特别是考核指标的量化、评估,由于缺乏与经营部门类似的详细数据而过度地依赖定性指标,考核的公平、公正性经常遭受质疑。而一旦考核兑现,矛盾就会集中到人力资源部门:员工指责考核指标的公正性、部门经理抱怨指标难于贯彻落实……人力资源部夹在两头,左右为难。久而久之,职能部门的考核逐渐趋于形式化……

针对绩效考核,任正非表示:"我们根据公司的战略,采取一个综合平衡记分卡的办法。综合平衡记分卡就是我们整个战略实施的一种工具,它的核心思想是通过财务、客户、内部经营过程及我们在学习和成长四个方面相互驱动的因果关系来实现我们的战略目标。"

"平衡记分卡关键在于平衡:关于短期目标和长期目标的平衡;收益增长目标和潜力目标的平衡;财务目标与非财务目标的平衡;产出目标和绩效驱动因素的平衡以及外部市场目标和内部关键过程绩效的平衡,也就是我们从战略到指标体系到每一个人的PBC指标,都经过评分记分卡来达到长短、财务非财务等各个方面的平衡。"

华为最初也度过了一段时间的绩效考核"混沌期",人力资源部没有真正的绩效考核。当时的人力资源工作人员只关注其有没有及时填补公司的岗位空缺,招聘成功率及新聘员工的离职率等考核指标基本不会顾及,而定性的考核指标让人力资源工作人员对考核结果几乎漠不关心。这种"糊涂工作状态"遭到了抱怨："我与同事的上升空间和年终奖励好像更多的是依照上司的心情而定。"人力资源工作人员渴望也能像业务部门一样在年终时拿到一张清晰的绩效考核单。就这样，华为在懵懂中摸索着自我改变，并将这种愿望变成了现实。

事情微妙地发生了变化，2001年前后，华为人力资源工作指标越来越细化了，任务书里开始有一些对工作任务的清晰描述。

在华为，每年的年初，每位员工都需要制订绩效目标，然后根据这个目标由直接主管对他进行不定期的辅导、调整；考察目标完成的情况和存在的问题，在年中六七月时作回顾和反馈；最后才是年底的评估考核，并把绩效结果和激励机制相挂钩。

任正非强调，一定要真真正正量化考核。"我们问一个干部：这个员工好不好？干部回答说他还不错。这就说明这个干部本身就不合格。在提拔干部上要用数据来衡量一个干部。只有用数据说话，才不会冤枉一个人，也不会乱提拔一个人。凭着感情说话，不是拉帮结伙，也是糊里糊涂。评价一个干部，要看这个干部是不是会做，是不是踏踏实实认真去做。"

对于干部关键事件过程行为的评价，华为都有评定的依据。"不同层面的主管会去看他那些关键事件以及在关键事件里面的过程行为怎么样，高层主管和基层主管会看那些关键事件或者有意让你在一些关键事件中去锻炼，在锻炼的过程中再对你体现出来的行为进行评价，然后得出绩效考察的结果和关键事件过程行为评价的结果，它和干部的薪酬是直接挂钩的。"

中高层管理者年底目标完成率低于80%的，正职要降为副职或给予免职；年度各级主管PBC完成差的最后10%要降职或者调整，副职不能

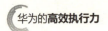

提拔为正职；业绩不好的团队原则上不能提拔干部；对犯过重大过失的管理者就地免职；被处分的干部一年内不得提拔，更不能跨部门提拔；关键事件过程评价不合格的干部也不得提拔。

任正非表示，这是人力资源管理的一些变革，形成我们整个人力资源管理的体系、干部培养和选拔的体系，使得我们做任何事情都有章可循，有法可依。

华为的绩效管理强调以责任结果为价值导向，力图建立一种自我激励、自我管理、自我约束的机制。通过管理者与员工之间持续不断地设立目标、辅导、评价、反馈，实现绩效改进和员工执行能力的提升。

第五节　成本控制执行力

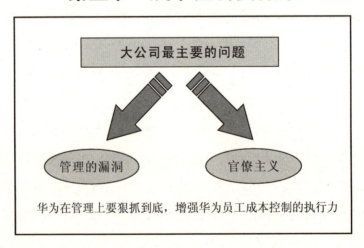

管理大师彼得·德鲁克曾说："企业家就是做两件事，一是营销，二是削减成本，其他都可以不做。"企业要生存就要提高成本控制执行力。

只有以尽可能少的成本，创造尽可能多的价值，企业的竞争力才能增强。

通过成本控制，华为 2008 年销售收入增长高于成本增长 3.4 个百分点；费用率下降约 1.8 个百分点（由 28.47% 降至 26.7%）。2008 年，华为在实现了营业利润增长的同时取得了业界最高的收入增长。

任正非曾这样说道："成本控制良好情况下的成长才是健康成长，否则风险太大。华为正处在从销售拉动型转变为精细运营的关键时期，未来的利润会更多来自我们的效率提升和成本控制。"

与大多数中国企业一样，华为最初也是采取粗放型经营模式，而当企业做大之后这种粗放型经营的弊端就显现出来了，即出现所谓的"增产不增收"的效益递减现象。"过去签一个单子就能够保证全年不饿，而现在如果收不回尾款就只有饿肚子了。"华为海外的一位销售主管如此说道。

这也使任正非意识到，华为在相当长的时间内在公司整体经营方面与国际一流企业相比还存在比较大的差距。1997 年 1 月 23 日，任正非在市场前线汇报会上说道："管理中最难的是成本控制。没有科学合理的成本控制方法，企业就处在生死关头。全体员工都要动员起来，优化管理，要减人、增产、涨工资。明年生产要翻一番，但人员不一定要翻一番。从管理中要效益，只有在管理上进步了，我们才可能实现机关干部与研究、市场同工同酬。"

1997 年，任正非到美国参观考察 IBM，受到了极大的触动。华为每年将销售额的 10% 投入产品开发，但是研发费用浪费比例和产品开发周期却是业界最佳水平的两倍以上，人均效益只有 IBM 的 1/6。

1998 年，任正非决定引进 IBM 的 IPD（集成产品开发）项目。IPD 强调以市场和客户需求作为产品开发的驱动力，通过改变产品开发模式，缩

短产品上市时间，从而降低开发成本，最终提高产品的赢利能力。

像其他成功的国内外企业一样，华为很早就认同了这样的理论：成本控制不能光靠节约。成本是由研发路标、结构设计、生产工艺、物料成本以及供应链管理综合确定的。不同的设计思路和产品结构，可能导致产品先天就不具有成本竞争性。

任正非认为企业的成本控制是多方面的，并不仅仅在产品成本的控制。"大家都认为成本低就是指材料成本低，其实成本的构成是方方面面的。每一个部门都要冷静反思，过度地降低成本我不赞成，但是不认真研究成本下降我也不接受。比如销售成本，国内一个 2000 万美元的单，有十几人在围着转，海外一个人手里握着几个 2000 万美元的单，国内的人力资源是过剩的，我们就要源源不断地强制性地抽调优秀员工到海外去。尽管国外的成本和费用比国内的成本高得多，我们还是要源源不断地向海外输送人才。"

华为在加速度增长时期，许多员工片面地追求销售额的增长速度，不太注重成本。这一时期，虽然华为收入呈现 100％的增长速度，但管理费用、销售费用却以超过 100％的速度攀升，利润只有百分之十几，高投入并没有带来高利润。为解决这一问题，2002 年，任正非开始在公司内部推行低成本运作。任正非强调，企业通过成本控制获得盈利，比开拓市场来得更有效。

任正非表示，大规模不可能自动地带来低成本，低成本是管理产生的，盲目的规模化是不正确的，规模化以后没有良好的管理，同样也不能出现低成本。一个大公司最主要的问题是两个，一是管理的漏洞，二是官僚主义。因此，华为在管理上要狠抓到底，增强华为员工成本控制的执行力。

　　在公司管理方面，华为不仅有很多规章制度约束员工自动自发去执行节约，而且还有很多策略和措施去实现结构性地降低成本。

史玉柱：只认功劳，不认苦劳

"没有功劳也有苦劳"，当员工不能按要求完成工作任务而不被肯定时，这句话就会变成员工潜意识的怨言。"没有功劳也有苦劳"在市场经济中是行不通的。竞争时代，只有功劳，没有苦劳。承认没功劳也有苦劳具有严重的危害性。假如企业生产的产品质量不好，不可能说这种产品虽然质量不好，但也是通过企业员工千辛万苦制造出来的，顾客就将就买去吧，只是因为企业员工真的很辛苦，消费者是绝对不会这样做的。

巨人网络董事长史玉柱在《赢在中国》节目中曾说过："假如你有两个团队，一个团队年底完成了任务，每人发了一万元奖金；另一个团队，没有完成，但工作非常辛苦，每天比第一个团队还要多工作一半时间，你怎么办？""如果你要问我怎么做，那我会不发，但是我会在给第一团队发年终奖的当天请第二个团队撮一顿，喝酒。我的观点是，功劳对一个公司才是有利的，苦劳对公司的贡献是零。"

承认苦劳就等于承认低效率，就导致企业员工不再积极进取，而是得过且过，这样企业就没有任何效益可言，没有功劳的所谓苦劳只能是浪费资源。市场只认效率，公司只认功劳。企业只能创造效益，员工只能拿出成绩。只有要求企业员工一切看结果，凭业绩和效益说话，才能在企业中形成良好的工作和人才环境，才能使企业不断前进，在市场竞争中站稳脚跟并日益壮大。

巨人网络公司只有一个考核标准，就是量化的结果。正是以结果论英雄，才锻造了一支强有力的队伍。史玉柱力求让每一个员工明白，评价做事的成果"最终凭的是功劳而不是苦劳"。"不管再高的领导，都是要把个人的贡献与利益机制挂钩。"

对每一位经理，史玉柱不仅为他们提供了获得巨额奖金的可能，还给他们做不好就要接受大笔罚款的压力。对第一线的销售人员也是一样，做不好连300元的底薪也难保，但做好了就可以拿到高得惊人的销售提成。

史玉柱说："我们现在采用的就是固定工资很低，固定工资也就是同行业的平均水平或者还要偏少一些，但是浮动的高。我每多给你一点钱，从我总部的角度、从公司的角度来讲，我开心，为什么我愿意多给你钱呢？因为你做贡献了。实际上，我都是量化的。"

柳传志：只讲制度，不讲人情

联想控股董事局主席柳传志强调，管理中的"管"代表严格的管理制度，管人、管物、管财都是非常严格的；"理"代表一种软的手段，是理顺行为、理顺思想、理顺一个人整个的工作行为。"企业做什么事，就怕含含糊糊，制度定了却不严格执行，最害人！"

在有些人眼中，开会迟到看起来是再小不过的事情，但是，在联想，却是不可原谅的事情。联想的开会迟到罚站制度，近30年来，无一人例外。柳传志认为，立下的规矩是要遵守的。"每开一个会，如果定在8点开，9点人都没到齐。做企业不行，企业真的跟军队一样。因此，联想定了一个规定，开会迟到不请假一定要罚站一分钟。在联想开会的时候，有人迟到而没罚站，我就会把组织会议的人叫到办公室站一分钟。"

柳传志表示，这一分钟是很严肃地站一分钟，不是说随随便便的。因为开会的机会太多，要是总有人迟到的话，所有的事情那就都议不成了，"所以我们定了规矩：只要你不请假，不管多重要的事情，都不能迟到。迟到了就要罚站，罚站就一定要站一分钟。罚站的方式是把会停下来，大家看着你站一分钟，像默哀似的，让你很难受。"

联想刚定下开会迟到罚站这个规矩时，第一次被罚站的人，是柳传志的一个老领导，原计算所科技处的一个老处长。柳传志说："罚他站的时候，他站了一身汗，我在这儿坐着也是一身汗，后来我跟他说，老吴今天晚上我到你们家去，给你站一分钟。但是今天，你非得在这儿站一分钟不可。当时真的是很尴尬，但是也就这么硬做下来了。"

联想创始人之一，曾经是联想最早的副总经理、副总裁的张祖祥也因为开会迟到被罚站过。迟到罚站，柳传志本人也不搞特殊化。"这里面我大概被罚了三次，我被罚了三次其实不算多了，因为我开会最多呀。有一次是被困在电梯里面，电梯坏了，叮叮敲门，叫人去给我请假，最后没人，这种情况也是要罚站的。"

柳传志表示，既然制定了规章制度，就要非常认真地执行并宣传。

柳传志在联想创立之初，还为联想设立了若干"天条"，这些"天条"成为联想不可触摸的雷区。联想"天条"的内容包括：不许谋取第二职业，不许吃回扣，不许收红包，不许利用工作关系谋取私利等等。

这些条条框框的"天条"制度对于大多数公司来说只是形同虚设，但在联想，对于触犯"天条"的员工，一定会受到类似于军法处置的严厉惩罚。

柳传志表示，公司对犯错误或违反"天条"的职工给予批评、扣发奖金、退交人事部甚至开除等处罚。"这些制度定下以后一定能做到，从20世纪90年代到现在没有虚说的情况。1990年以前，我们公司有5个年轻同事，由于不遵守公司的规章制度，用不合法的方式谋取个人利益，被送到了司法机关，判了刑。现在，有四个人都出来了，出来后的第一件事情都是来向我们表示道歉，然后再表示感谢。为什么道歉呢？因为话都说在桌面上了，没有任何一件是没说清楚的，什么事情绝对不许做，应该怎么做，年年反复讲，你这么做明显是不正确的。感谢是因为什么呢？因为一方面我们要坚决将犯错误的人送进去，另一方面又帮助他减刑，一直要减到一两年，目的是能够让他接受教育。这些人出来以后，做得都不错，有一个还成了一个比较大的企业的负责人，还有一个同事回到了我们公司来工作。这就说明，定了规矩以后，就坚决要执行。"

王石：一切忠于制度

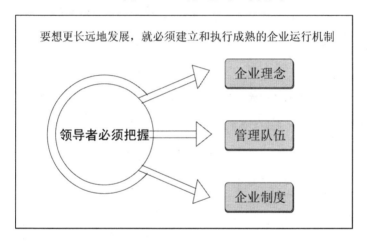

要想更长远地发展，就必须建立和执行成熟的企业运行机制

领导者必须把握 → 企业理念

领导者必须把握 → 管理队伍

领导者必须把握 → 企业制度

　　万科董事长王石说："企业的创始人往往具有鲜明的个性和强烈的个人魅力。由于他在企业生存和发展中起着决定性的作用，因此经常是只要靠威信就能维持企业的正常运作。但是，作为职业领导者，必须意识到成熟企业强调的是企业文化和机制，而不是领导者个人，因此必须弱化个人的作用。尤其是对于现阶段的中国企业，这非常必要。我们可以看到，有的企业领导者本人就是企业制度的化身。但是要想更长远地发展，就必须建立和执行成熟的企业运行机制。在这方面，我认为领导者必须把握三个方面的内容：一是企业理念，也就是企业文化；二是管理队伍，企业应该具备完善和稳定的管

理队伍；三是企业制度，这不仅意味着建立一套完整的企业规章制度，更关键的是执行这些制度。"

在万科，一切忠于制度，所有人都要严格执行。以至有一种说法，万科如同戒律森严的"少林寺"，寺内的人，包括"方丈"在内，都必须遵守清规戒律。

对此，王石说道："国内大部分企业缺的不是制度，而是制度的执行。万科的人事管理制度，90%是国企那一套，但却取得了国企所没有起到的效果。除了制度的完整与严谨，更重要的是万科有尊重制度和做事按程序的企业文化。"

关于万科忠于制度的故事有好多，其中一个尤为典型的就是黄铁鹰在《为什么万科的公司制度是真制度》一文中所列举的案例：

"1997年底，万科人力资源部总经理解冻忙完手头儿上的活准备休假，却接到了上海分公司一个销售主任的投诉——上海分公司违反人事制度把他解雇了。

"解冻接到投诉后，抄起电话调查此事。经调查了解到：该员工不服从管理，应该予以辞退；同时销售经理也表示，如果万科总部要撤销炒人的决定，他就立刻辞职。这让解冻为难了。上海分公司的做法显然不符合程序，最后，为了维护上海公司管理层的权威和尊严，解冻还是决定维持原判，并将此处理意见反馈给职委会。

"后来，职委会却提出反对意见。其理由是：《职员手册》是公司员工应该遵循的规章大法，应该严格去遵照执行，所以不能开这样的先例。后来，这件事情需要由王石来定夺。他经过同上海分公司新的领导层充分沟通之后，说服他们收回成命。于是上海销售主任保住了饭碗，但受到降职降薪的处理；

而销售经理却辞职了。

"由此可见，万科的公司制度是真制度，因为万科公司的大部分人能执行它。因此，万科的外地分公司才能最大限度地贯彻总部的意志。"

通过这个事例，我们可以感受到万科对制度的严格执行，制度要求所有人都要参与其中。

这里还有一个例子。万科集团系统中高层管理干部的互相调动，是万科培养职业经理的一项制度，做到一线公司老总，其前提就是要接受调动，2000年初万科上海、北京两分公司总经理先后因不愿调动而离职，同时也导致不少专业技术人员流失，有些甚至到了竞争对手那里去，对公司业务造成相当大的冲击。有人问王石为什么执行政策时不能灵活处理，以留住得力的高管。王石表示，每项制度都有局限性，既然制定了就得执行，从眼前利益看，灵活处理是对的，但长远看则不然，所以宁肯眼前承受很大的损失，也要坚持制度的执行和连续性。

万科对于企业制度管理的重视，通过上面的例子便可见一斑。王石强调，作为万科的人，可以反对王石，可以反对郁亮，但不能反对万科的制度；可以不尊重王石，可以不尊重郁亮，但一定要尊重万科。

"在万科，并不是所有时候都要求下级服从上级，但却是所有时候都要求所有人服从制度。规范的制度体系使得万科内部很少看到繁冗的请示汇报，从而提高了工作效率，降低了内部交易成本。另一方面，也使得员工凭借工作能力而不是人际关系进行竞争。"

王石不仅要求万科员工遵守公司的制度，他本人也一样受到制度限制。王石指出，由于1988年万科的股份制改革之后股权极度分散，造成自己在万科董事会的决策上有举足轻重的地位。但2000年万科主动引进大股东华润集团之后，股权分散的状况将过渡到一家独大的局面，自己的权力会受到限制，而王石自己愿意接受限制，唯此，才能获得资本市场的认同。

作为制度的创建者之一，王石首先必须做执行制度的表率。因此，他就首先要把自己当作需要制度去约束的人。很多企业家的休闲活动，花的都是企业的公款，但王石花的都是个人的钱，就是想报销也不行。一方面，万科的企业制度不允许他那样用公款；另一方面，也没有人敢给他进行那种报销。

企业的制度首先对万科的老总产生了约束力，就自然会对整个公司的管理团队、员工产生约束力，形成一条监督的制度链，公司的运转才能正常。

王石表示，好的制度只有切实的执行才能发挥应有的功效，否则就形同虚设。建立制度并不难，关键在于执行。只有依靠执行力才能将核心竞争力体现在最终的组织绩效上。

"企业最缺的不是制度，而是制度的执行。一个制度能否顺利执行，需要良好的监督机制为依托。投诉制度就是万科监督机制辅助手段中的一种。"

"沃尔玛曾经有一个关于内部投诉的制度。任何一个员工投诉他的上级之后，在投诉没有得到合理解决结果之前，他的上级对他没有任何处分的权利，如降级、调换工作甚至解雇等，即这名投诉的员工因此而进入一种被保护状态。这显然是成熟的企业制度文化的一个缩影。"

战略专家姜汝祥曾这样评价万科："伟大的人很多，但伟大的公司不多，万科做出了选择：建立伟大的成长机制，建立一个决不依赖任何个人的伟大公司！历史会证明，万科今天做的职业化是中国大部分企业未来5到10年将要做的。"

HUAWEI

第四章

提升执行力的策略

HW

解决「最短的木板」

减少对「人」的依赖

听见炮声的人决策

「小改进、大奖励」

中层干部从实践中来

僵化、优化、再固化

提升执行力的策略

HUAWEI DE
GAOXIAO ZHIXINGLI

第一节　解决"最短的木板"

在管理学中，有一个"木桶理论"，讲的是一个木桶能盛下多少水，不是由组成木桶壁最长的一块木板决定，而是由最短的一块木板来决定的。执行流程也是如此。执行流程中如果出现了"短板"，即执行流程中最差的环节，就会影响整个工作的执行。

企业的运作特性表明各个职能部门之间是协同关系。如果一个木桶代表一个企业，木桶中装水的多少，就代表该企业执行力的强弱。为什么一个木桶要由相同高度的木板来组成呢？这是因为只有每一块木板都一样长，才能够让装水的量达到最大。组成木桶的各块木板对应着企业的各个不同部门，例如一种产品或服务可能要经过研发、设计、生产规划、物料控制、现场管理、质量控制、仓储物流、终端销售、售后服务、品牌维护等至少 10 个环节。如果这些部门中有的部门的执行力很低，就好比木桶上有的木板短了一截一样，那么这个短板就决定了木桶装水量的多少，也即企业执行力的强弱。

创立初期，华为的组织结构以反应迅速、运作高效而著称，但是如果它不能根据市场需求以及企业发展态势不断调整，就会成为影响企业整体发展的短板。任正非认为，华为组织结构的不均衡，是低效率的运作结构。

就像一个桶装水多少取决于最短的一块木板一样，不均衡的地方就是流程的瓶颈。"例如：我公司初创时期处于饥寒交迫、等米下锅的境地。初期十分重视研发、营销以快速适应市场的做法是正确的。活不下去，哪来的科学管理。但是，随着创业初期的过去，这种偏向并没有向科学合理转变，因为晋升到高层的干部多来自研发、营销的干部，他们在处理问题、价值评价时，有不自觉的习惯倾向，以使强的部门更强，弱的部门更弱，形成瓶颈。有时一些高层干部指责计划与预算不准确，成本核算与控制没有进入项目，会计账目的分产品、分层、分区域、分项目的核算做得不好，现金流还达不到先进水平……但如果我们的价值评价体系不能使公司的组织均衡的话，这些部门缺乏优秀干部，就更不能实现同步的进步。它不进步，你自己进步，整个报表会好？天知道。这种偏废不改变，华为的进步就是空话。"

华为在迅速地成长，管理的"短板"日益凸显，这已严重影响到华为的可持续发展和员工的工作执行能力。为了克服这一弊端，任正非大刀阔斧地进行改革，积极借鉴先进的管理经验改造华为。任正非正在艰难地寻找解决问题的方法，他要为华为找出一条通往顶峰的路。

在多次出访日本，并见识到了日本企业的精细化管理后，任正非对照华为管理中存在的粗放、低效、发展不均衡等问题，他将"均衡发展"作为华为管理任务的第一个要点来加以强调。

任正非指出，必须要实现公司的均衡发展，也就是抓企业最短的一块木板。"在管理改进中，一定要强调改进我们木板最短的那一块。为什么要解决短板呢？公司从上到下都重视研发、营销，但不重视理货系统、中央收发系统、出纳系统、订单系统等很多系统，这些不被重视的系统就是短木板，前面干得再好，后面发不出货，还是等于没干。因此全公司一定要建立起统一的价值评价体系、统一的考评体系，才能使人员在内部流动和平衡成为可能。比如有人说我搞研发创新很厉害，但创新的价值如何体现，创新必须通过转化变成商品，才能产生价值。我们重视技术、重视营销，这一点我并不反对，但每一个链条都是很重要的。"

任正非认为，即便是在备受重视的华为研发体系中，也同样存在着"短板"。"我们这几年来研发了很多产品，但 IBM 等西方公司到我们公司来参观时就笑话我们浪费很大，因为我们研发了很多好东西就是卖不出去，这实际上就是浪费。我们不重视体系的建设，就会造成资源上的浪费。要减少木桶的短板，就要建立均衡的价值体系，要强调公司整体核心竞争力的提升。"

"研发的评价体系要均衡，在研发体系不存在谁养谁的问题。所以，可以以产品线实施管理，但是要防止公司出现分离。产品线还是要考核和核算，但不要说哪个产品赚钱，哪个产品不赚钱，赚钱的就趾高气扬，不赚钱的就垂头丧气，这样，公司很快就崩溃了。就像 N 公司的例子，几年前我去 N 公司时，请了手机部经理、基站部经理和系统部经理来交流，手机部经理就趾高气扬的，基站经理也神采奕奕的，系统部经理却垂头丧气的，就是因为他们实行产品线考核，结果他们的核心网和光网络就垮掉了。我们不能这样考核，今天是你贡献，明天是他贡献，大家都在贡献，我们要这样考核。我们要做均衡发展，今天不赚钱的项目也要加大投入，今天赚钱的项目要加大奉献。我们希望长远地生存下去，短期生存下去对我们来说是没有问题，因此，评价要从长远角度来考虑。"

第二节　减少对"人"的依赖

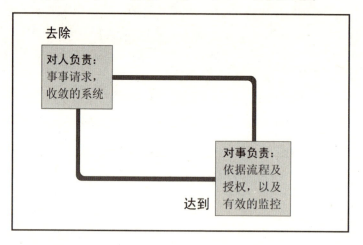

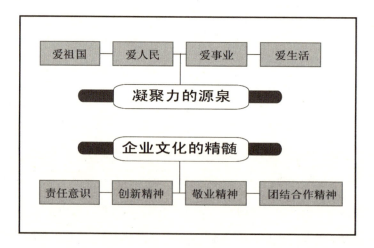

　　一个7人小团体，每个人追求个人利益而且相互平等。大家只能在没有称量用具的情况下分食一锅粥，解决每天的吃饭问题。在分配合理的情况下，粥的数量刚好够7个人吃。有一个人多吃一点，就至少有一个人要挨饿。怎样分粥呢？

方案一：指定一个人负责分粥。很快大家发现，这个人为自己分的粥最多。于是决定换个人来分粥，但结果总是分粥者为自己分的粥最多。

方案二：大家轮流主持分粥。这样做尽管机会均等，但每人每周只有一天吃饱而且有剩余，其余6天都饥渴难耐，结果造成了资源浪费。

方案三：大家民主选举一个信得过的人主持分粥。开始这位众人推举的人还能公平分粥，不久以后就有意无意地为自己及溜须拍马者多分，导致个人腐化和风气败坏。

方案四：民主选举一个分粥委员会和一个监督委员会，形成民主监督与制约机制。但由于监督委员会常常提出各种议案，分粥委员会又据理力争，等达成协议时粥早就凉了。

方案五：大家参与分，抓阄决定谁得哪份。这是我国民间经常采用的最简洁、公平的方法，而且对不是无限可分或者真正分均很困难的东西也可以分，分完后大家心态也很好，因为机会均等，不会有相互埋怨的事情发生。

方案六：每个人轮流值日分粥，但分粥的那个人只能最后拿粥。令人惊奇的是，在这个制度下，7只碗里的粥每次都是一样多。

这个故事的启示是，我们要靠法治而不靠人治，要有一套制度运作。

企业的发展有其内在的规律性，是不以人的意志为转移的。但所有成功企业在其生命发展过程中都深刻地体现着一个规律，即它的生命活动总是基于对事负责，而不是对人负责制。但这个规律并不是一开始就形成的，而是企业在长期发展过程中通过不断地实践逐步摸索出来的。

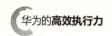

在企业初创时，由于企业的制度、运作流程不健全，企业管理更多地表现为对人负责制。但是，当企业发展到一定规模后，就必须依靠流程来进行运作，最大限度地减少对"人"的依赖。华为实行的是干部对事负责制，而不是对人负责制。

1998年，正值《华为基本法》出台之际，任正非在一次座谈会上，对《华为基本法》的核心价值观中的第四条——爱祖国、爱人民、爱事业和爱生活是我们凝聚力的源泉。责任意识、创新精神、敬业精神与团结合作精神是我们企业文化的精髓。实事求是是我们行为的准则——进行了详细的解释。任正非这样说道："我们让最有责任心的人担任最重要职务：到底是实行对人负责制，还是对事负责制，这是管理的两个原则。"

任正非认为，对人负责制会滋生一些不良风气，会使很多人说假话，拉拉扯扯，封官许愿，袒护问题，以人画线，一系列毛病都会在华为的队伍中出现。"做事情一定要坚持对事不对人的原则。谁说得对，就听谁的。"

"为什么我们要强调以流程型和时效型为主导的体系呢？现在流程上运作的干部，他们还习惯于事事都请示上级。这是错的，已经有规定，或者成为惯例的东西，不必请示，应快速让它通过去。执行流程的人，是对事情负责，这就是对事负责制。事事请示，就是对人负责制，它是收敛的系统。我们要简化不必要确认的东西，要减少在管理中不必要、不重要的环节，否则公司怎么能高效运行呢？"

华为从1996年开始进行以流程型和实效型为主导的管理体系建设，但很多干部仍然没有改变以前对上级领导负责的心态，凡事都汇报请示，导致办事效率低下。"华为由于短暂的成功，员工暂时的待遇比较高，就滋生了许多明哲保身的干部。他们事事请示，僵化教条地执行领导的讲话，生怕丢了自己的乌纱帽，成为对事负责制的障碍。对人负责制与对事负责制是两种根本不同的制度，对人负责制是一种收敛的系统。对事负责制是依据流程及授权，以及有效的监控，使最明白的人具有处理问题的权力，是一种扩张的管理体系。而现在华为的高中级干部都自觉不自觉地习惯于对人负责制，使流程化 IT 管理推行困难。"

为了提高企业整体运转效率，真正做到对事负责，任正非开始着手完善华为的内部流程体系。所谓流程，通俗地说，就是被固化下来的做一件事情的先后顺序。在任正非看来，没有流程，势必以对人负责来维系企业的运作。任正非说："我们公司确立的是对事负责的流程责任制。我们把权力下放给最明白、最有责任心的人，让他们对流程进行例行管理，高层实行委员会制，把例外管理的权力下放给委员会，并不断地把例外管理转变为例行管理。流程中设立若干监控点，由上级部门不断执行监察控制，这样公司才能做到无为而治。"

在任正非看来，梳理公司整个经营管理流程，提高整体运作效率，是华为势在必行的头等任务。而确定"对事负责"则是整个系统改进工作中一项非常重要的制度，如果不能实现这一点，华为的前途堪忧。

没有合理的制度就不可能确保有效的执行，对任何一个注重于执行力修炼的企业来说，要提升企业的整体执行力，就必须拥有合理的制度作为保障。

管理学家曾做过这样一个假设：假如一架飞机不幸失事，飞机上载着 A 公司和 B 公司的老板，两位老板都不幸遇难。

事后，A 公司一片混乱，呈现出群龙无首的状态；而 B 公司则秩序井然，没有受到大的影响。

　　那么，造成这种差异的一个重要的原因，就是 B 公司一定已经具备了一套完备而系统的管理制度。

　　制度是执行各项工作任务的重要保障。如果没有完善的制度，就往往容易陷入"人走制息"的怪圈。

　　任正非鲜明提出，员工要严格遵守公司的各项制度与管理，对不合理的制度只有修改以后才可以不遵守。他就是用这种方式保证了华为统一思想、统一行动。也就是因为这样，华为在召开大规模员工大会的时候都会要求保持会场安静和整洁，结果就真能保持手机不响，不扔垃圾。

第三节　听见炮声的人决策

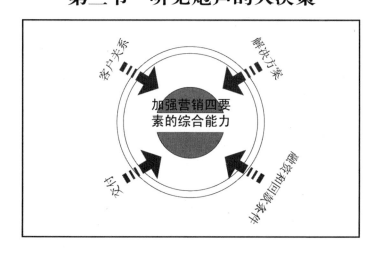

1985 年，通用时任总裁韦尔奇开始了被经济学家熊彼德称为"创造性毁灭"的改革，他将 GE 的管理层级从 29 个层级减少到 6 个层级。当韦尔奇完成这项改革之后，整个 GE 公司看起来就像是平放在地上的四轮马车。最高管理层在中央，其余的管理层向周围放射，如同保护车轮的轮辐。这样一来，公司内部的信息流通变得异常迅速。

以家用电器事业部的销售部为例，从一线销售人员到公司总裁之间仅 4 个层次：公司总裁—家用电器事业部总裁—家电销售部副总裁—30 个地区家电销售—400 个家电销售代表。再以通用电气的重型燃气轮机制造基地为例。全厂有 2000 多职工，年销售收入达 20 多亿美元，全厂由一位总经理负责，他下面是几位生产线经理，如叶片生产线、装配线、调试线等，每个生产线经理直接面对 100 多名工人。没有班组长，也没有工长、领班，更没有任何副职。公司采取了这种较宽松的管理制度，管理人员向下级授予更多的决策权，让下级充分发挥其自主性。

韦尔奇说道："在20世纪80年代，我们去除了一层又一层的管理阶层，我们推倒了一层又一层瓜分财富的墙壁。我们不断裁减员工——那些专挑毛病的人、乱出主意的人。这样做之后，我们发现那些获得了发展空间的人们能够获得足够的信任做出属于自己的决定，而当他们为自己的决定工作时，他们更加努力了。"

韦尔奇强调："我们也着手裁撤了公司总部的员工。在美国公司中，总部往往会成为造成公司毁灭的因素，它可能扼杀、窒息、阻碍公司的发展，增加不安全的因素。如果你想简化你的前线，那么你就不能在后方保留大批人员。这些人是你所不需要的：问个不休者、监督人员、阻碍程序进行的吹毛求疵者、以事后议论为本职和多管闲事者以及阻碍公司内部沟通者。如今，公司总部的人员是一批精通税制财务或其他关键领域的专家，他们能够更有效地帮助前线的人们。我们的公司员工不再只是制造麻烦或带来问题，他们彼此合作。这是思想态度上的转变：人们主要对公司业绩负责，而不是别的什么。"

韦尔奇所做的就是治疗"大企业病"，治疗方法，用任正非的话来说，就是"让听得见炮声的人来决策"。

任正非说："谁来呼唤炮火，应该让听得见炮声的人来决策。而现在我们恰好是反过来的。机关不了解前线，但拥有太多的权力与资源，为了控制运营的风险，自然而然地设置了许多流程控制点，而且不愿意授权。过多的流程控制点，会降低运行效率，增加运作成本，滋生了官僚主义及教条主义。"

2008 年，任正非提出将部分决策权放到听得到炮响的地方去。北非地区部给华为提供了一条思路，就是把决策权根据授权规则授给一线团队，后方起保障作用。这样华为的流程优化的方法就和过去不同了，流程梳理和优化要倒过来做，就是以需求确定目的，以目的驱使保证，一切为前线着想，就会共同努力地控制有效流程点的设置。从而精简不必要的流程，精简不必要的人员，提高运行效率，并为员工执行力的提升打好基础。

任正非用一个形象的术语来描述，过去华为的组织和运作机制是"推"的机制，现在华为要将其逐步转换到"拉"的机制上去，或者说，是"推"、"拉"结合、以"拉"为主的机制。推的时候，是中央权威的强大发动机在推，一些无用的流程，不出功的岗位，是看不清的。拉的时候，看到哪一根绳子不受力，就将它剪去，连在这根绳子上的部门及人员，一并减去，组织效率和执行力就会有较大的提高。我们进一步的改革，就是前端组织的技能要变成全能的，但并非意味着组织要去设各种功能的部门。

任正非表示，基层作战单元在授权范围内，有权力直接呼唤炮火。当然炮火也是有成本的，谁呼唤了炮火，谁就要承担呼唤的责任和炮火的成本。后方变成系统支持力量，必须及时、有效地提供支持与服务，以及分析监控。公司机关不要轻言总部，机关不代表总部，更不代表公司，机关是后方，必须对前方支持与服务，不能颐指气使。

任正非说道："公司的最高决策机构是 EMT 会议，EMT 成员只是在会议结束后，推动决议的执行，他们叫首长负责制，也不能自称总部。机关干部和员工更不能以总部自称，发号施令，更不能要求前方的每一个小动作都必须向机关报告或经机关批准，否则，机关就会越做越大，越来越官僚。一线的作战，要从客户经理的单兵作战转变为小团队作战，而且客户经理要加强营销四要素（客户关系、解决方案、融资和回款条件以及交付）的综合能力，要提高做生意的能力；解决方案专家要一专多能，对自己不熟悉的专业领域要打通求助的渠道；交付专家要具备能与客户沟通清楚工程与服务的解决方案的能力，同时对后台的可承诺能力和交付流程的各个环节了如指掌。"

"让听得见炮声的人来决策"，和中国独有的军事原则与军事思想——"将在外，君命有所不受"的思想是一样的。"君命有所不受"，是个让步条件的复句，如果将它还原为现代汉语的句式则是："即使国君有命令传达到，假如在可行性上有疑问，也不能执行它。"孙武的名言到司马迁这里又发展出个结句"将在外，主令有所不受，以便国家"（《史记·魏公子列传》）。

任正非以美军在阿富汗的特种部队来举例。"以前前线的连长指挥不了炮兵，要报告师部请求支援，师部下命令炮兵才开炸。现在系统的支持力量超强，前端功能全面，授权明确，特种战士一个通讯呼叫，飞机就开炸，炮兵就开打。前线三人一组，包括一名信息情报专家，一名火力炸弹专家，一名战斗专家。他们互相了解一点对方的领域，紧急救援、包扎等都经过训练。当发现目标后，信息专家利用先进的卫星工具等确定敌人的集群、目标、方向、装备……炸弹专家配置炸弹、火力，计算出必要的作战方式，其按授权许可度，用通讯呼唤炮火，完全消灭了敌人。美军作战小组的授权是以作战规模来定位的，例如：5000万美元，在授权范围内，后方根据前方命令就及时提供炮火支援。我们公司将以毛利、现金流，对基层作战单元授权，在授权范围内，甚至不需要代表处批准就可以执行。军队是消灭敌人，我们就是获取利润。铁三角对准的是客户，目的是利润。

铁三角的目的是实现利润，否则所有这些管理活动是没有主心骨、没有灵魂的。当然，不同的地方、不同的时间，授权是需要定期维护的，但授权管理的程序与规则，是不轻易变化的。"

第四节　"小改进、大奖励"

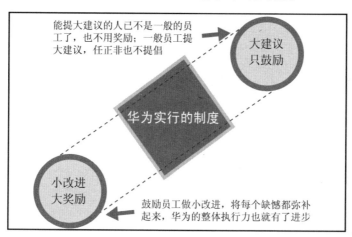

日本人并没有发明电视机、录音机、照相机，但是，全世界处处是"日本制造"的影子。这里面的关键是日本人精益求精，坚持不懈于点滴改进。可见执著于改进的力量有多大。

任正非表示，华为实行的是小改进、大奖励，大建议、只鼓励的制度。因为能提大建议的人已不是一般的员工了，也不用奖励；一般员工提大建议，任正非也不提倡。大的经营决策要有阶段的稳定性，不能每个阶段大家都不停地提意见。任正非鼓励员工做小改进，将每个缺憾都弥补起来，华为的整体执行力也就有了进步。

任正非提倡华为员工一定要从小处着手，一点点地进步，把小事情都执行到位，而不是只关注大问题、大方向。他说："我经常看到一些员工给公司写的大规划，我把它扔到垃圾桶里去了，而那些在自己的管理岗位上本身进步了，提高了自己工作效率的同志，这时候向我提的建议和批评我倒是很愿意听的。把生命注入管理中去，不是要你去研究如何赶上IBM，而是研究你那个管理环节如何是全世界最优的，要赶上IBM不是你的事情，你也不具备这样的资历和资格。所以要面对现实，踏踏实实地进行管理的改进，这样公司才会有希望。现在公司说空话的人比干实事的人多，幼稚的干部比成熟的干部多。要把生命理解成一种灵魂和精神，就是要将这种灵魂和精神注入管理中去。"

"我们华为公司因为迫切需要大量的干部参加到我们的大发展中去，所以我们才坚持以'小改进'这种方法来改善我们干部的工作方法与作风。当我们的每个干部都只会唱高调，不会集体干活的时候，我们这个公司就掏空了，就很危险。"

华为内部曾流传着这样一个故事：曾经有一个新员工，到华为后觉得这也不行，那也不好，于是给任正非写了一封关于公司经营策略建议的"万言书"。任正非看后批复道：此人如果有精神病，建议送医院治疗，如果没病，建议辞退。

因此，华为有一条不成文的惯例：大建议、只鼓励，小改进、大奖励。

"小改进、大奖励"，即员工不断地归纳、综合分析，一点点地改进工作，一旦工作有一点点小改进，就会得到奖励。任正非指出，要坚持"小改进、大奖励"，会提高员工的本领，提高员工的能力，提高员工的管理技巧，员工一辈子都会受益。小改进、大奖励，但重要的是"小改进"，任正非希望华为员工不要太关注大奖励。"我们现在要推行任职资格考评体系，因此你的每一次'小改进'，都是向任职资格逼近了一大步，对你一生是大奖励，让你受用一辈子，它将给你永恒的前进动力。我们坚持'小改进'，就能使我们身边的工作不断地优化、规范化、合理化。"

任正非将"小改进、大奖励"归入他提出的"2001 年管理十大要点"之中。任正非说："我们要坚持'小改进、大奖励'。'小改进、大奖励'是我们长期坚持不懈的改良方针。应在小改进的基础上，不断归纳，综合分析。研究其与公司总体目标流程的符合，与周边流程的和谐，要简化、优化、再固化。这个流程是否先进，要以贡献率的提高来评价。"

与此同时，任正非提醒华为人，"小改进、大奖励"并不是盲目进行的，在小改进过程中要不断瞄准提高企业核心竞争力这个大方向。任正非认为，如果不以核心竞争力的提升为总目标，那么"小改进"就会误入歧途。"比如说，我们现在要到北京去，我们可以从成都过去，也可以从上海过去，但是最短的行程应该是从武汉过去。如果我们不强调提升公司核心竞争力是永恒发展方向，我们的'小改进'改来改去，只顾自己改，就可能对周边没有产生积极的作用，改了半天，公司的整个核心竞争力并没有提升。那就是说，我们的'小改进'实际上是陷入了一场无明确大目标的游戏，而不是一个真正增创客户价值的活动。因此，在小改进过程中要不断瞄准提高企业核心竞争力这个大方向。'小改进、大奖励'将是我们华为公司在很长时间里要坚持的一个政策。"

注重点滴改进的合理化活动还有一个重要的作用是使创新的梦想成为现实。一般人喜欢干大事，喜欢拥有创新的自豪感，喜欢一下子就来个大的突破。开发新产品的确令人振奋，但是优化一个产品同样富有挑战性，而且它使我们的心血、我们的创新不致流于表面的"光荣"。当一个产品经自己的手变得稳定可靠，听到用户说：不错，华为的产品可以放心使用，那是怎样的一种自豪和满足。如果仅有"突破"，只想"创新"，却不能使之成为市场上得到认可的商品，个人的自豪是不充分的，不完满的。公司注重对产品的市场表现而不是对研究成果负责，道理就在于此。

小改进常常伸手可及。对有心人而言，不会放过任何一个小问题，遇事要多问几个为什么。华为中试计划处的吕灵玲的合理化建议多项被采纳，她说："作为一名普通员工，最熟悉的是自己的本岗位工作，所以我最注重的是自己手边的工作，在平时工作中对每一步、每一方面都细心观察，多看、多听、多想，这样常常能发现很多可以改进的地方。"看到工作现场暴露在机器外的保险管，总是很容易在使用金属夹时碰到它，中试物料品质试验中心的梅海英发现了这个问题，为每一个保险管加上塑料保护壳，小小一个塑料壳，成本低廉，但却可以避免因保险管与金属夹短路造成的巨大影响，细微之处反映出品格。像这样每次迈出一小步，虽然非常细小，却是实实在在的进步。

第五节　中层干部从实践中来

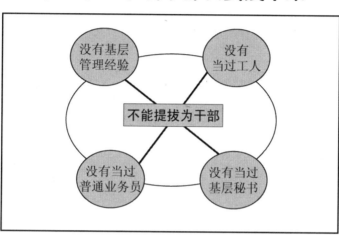

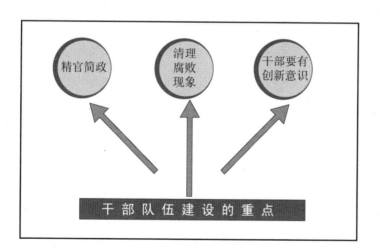

美国通用电器公司前总裁杰克·韦尔奇曾说过："挑选最好的人才是领导者最重要的职责。"随着华为成为世界 500 强企业，华为更加需要具

有高度执行能力的干部来继续华为成为世界级企业的事业。选拔具备优秀执行能力的干部就成了任正非工作的重中之重。

然而，任正非对于干部的选拔却有与别人不同的观点："凡是没有基层管理经验，没有当过工人，没有当过基层秘书和普通业务员的一律不能提拔为干部，哪怕是博士也不能。你的学历再高，如果你没有这些实践经历，公司就会对你横挑鼻子竖挑眼，你不可能蒙混过关。"

任正非是一个实业家，他推崇实干精神，深恶痛绝一切泡沫的东西，包括 20 世纪 90 年代的炒股狂潮和炒房地产热。正是他的这种脚踏实地做事业的心态带领着华为穿过一次又一次的危机，安然无恙地走到了今天，并使华为越来越接近于任正非心目中的伟大公司的样子。所以，他必然会将这一实干的精神继续坚持下去。

中层干部是带领华为人冲锋陷阵的旗手，对公司的发展具有领头"狼"的意义，因此任正非绝不允许他们只会空想，不会执行。

华为的绝大多数员工都是高学历出身，曾有人开玩笑，说华为连扫地的都可能是一个研究生。可以说高学历是进入华为的一块敲门砖，因为任正非希望这些新人有一个好的起点，为今后有更大的发展即晋升、提拔打好基础。但是，高学历在进入华为后已经没有多大用处，因为大家都站在同一起跑线上，唯一能区别的就是能力。而这个能力就要求新员工要在实践中好好锻炼实践与执行能力，脚踏实地，革掉年轻人共有的只会空想的通病。

任正非认为，对于大量的基层和中层管理人员，要坚持"从实践中来"的选拔原则。任正非强调，如果不坚持干部从实践中来，中层干部缺乏执行力，华为就一定会走向歧途。

"从群众中来，到群众中去"是中国共产党始终坚持的群众路线，党员只有深入基层，才能了解民众的疾苦。党和政府在选拔领导的时候也强调：要优先选拔那些有基层工作经验和执行能力强的干部。这个原则被华为很好地借鉴了。

曾为任正非左膀右臂的郑宝用和李一男，是华为从实践中选拔优秀执行干部的典范。

1989 年，郑宝用进入华为时，正在清华大学攻读博士学位。当时华为只有几十人，郑宝用立即投入工作，挑起了在当时攸关华为生存的程控交换机的规划和研发工作，并先后主持了华为公司几代程控交换机的设计与开发。郑宝用本人也很快被提升为总工程师，从 1989 年到 1995 年，正是在郑宝用等人的大力推动下，华为从一个代理商顺利转型为"技术的华为"，奠定了作为国内技术领先企业的基础地位。

从 1998 年到 2002 年，华为由于扩张过快，陷入了资金紧缺的窘境。也正是郑宝用担起公司宏观产权和资本运作的重任，以 7.5 亿美元成功出售华为电气公司，为华为安然度过冬天准备了一件厚厚的棉袄。

所以，在华为发展的前 10 年，郑宝用称得上是一个不容忽视的大功臣。而任正非对这个功臣的倚重和信任，是因为他是一个能够踏踏实实做事情的人，诚如任正非的评价："郑宝用，一个能顶 10 个。"

至于李一男更是华为的另一个传奇式人物。1992 年，李一男研究生毕业后放弃出国的机会选择加盟华为，此时华为总人数也才有 100 人。李一男不仅在长远规划和决策能力上有过人之处，而且还是一个技术狂，他对产品技术的追求近乎狂热。在华为开发万门机项目的时候，出于结构和技术先进性的考虑，需要各模块采用光纤连接，但是在仔细研究后发现，任何现有的光纤传输或光纤网络技术均无法满足要求。李一男便大胆地提出了采用准 SDH 技术的设想，并且仅凭着看过的几本书上的简单介绍，通过反复的实验，终于实现了这个当时具有极高难度的技术突破。任正非对于这样一个人才自然是青睐有加，李一男的晋升之路也成为人们津津乐道的故事：两天时间里，升任华为工程师；两个星期后，被破格聘为高级工程师；半年后，出任华为最重要的中央研究部副总经理；两年后，李一男因为在华为 C&C08 万门数字程控交换机的研制中贡献突出，被提拔为华为中央研究部总裁及华为总工程师；四年后，27 岁的李一男成为华为最年轻的副总裁。

任正非说过，华为的领导人必须具备基层工作经验，否则不能当领导。华为不断地将一批批高层干部下放到市场锻炼执行力，任正非用勾践卧薪尝胆和苏武牧羊的故事来勉励他们。在华为，几乎所有的高层管理者都不是直升上去的，更没有"空降兵"。是不是外来的"空降部队"就一定不好呢？任正非指出，很多公司的历史经验证明，"空降部队"也是好的，但是其数量绝对不能太大。"问题在于我们能不能把这支'空降部队'消化掉。如果不能消化掉，我认为我们公司就没有希望。那么，我们现在有没有消化'空降部队'的能力呢？没有。因为我们每级干部的管理技能和水平实际上都是很差的。"

任正非认为，有基层工作经验和管理经验的干部更了解员工的工作、生活状况以及想法，也具备更强的执行能力。因而，华为确定这样一条方针：从公司自己的队伍里培养自己的骨干。即依据公司一系列管理制度和政策，靠自己的努力来培养跨世纪的执行人才。"公司永远不会提拔一个没有基层经验的人做高级领导工作。遵循循序渐进的原则，每一个环节对您的人生都有巨大的意义。您要十分认真地去对待现在手中的任何一件工作,积累您的记录。要尊重您的现行领导,尽管您也有能力,甚至能力更强,否则将来您的部下也不会尊重您。要有系统、有分析地提出您的建议,您是一个有文化者,草率的提议,对您是不负责任的,也浪费了别人的时间。特别是新来的,不要下车伊始,就哇啦哇啦。要深入地分析,找出一个环节的问题,找到解决的办法,踏踏实实、一点一点地去做。不要哗众取宠。"

经验和能力是干部必备的素质,而这种素质只能通过从基层一步一步做起来培养。华为确定的干部路线是从自己的队伍中尽快产生干部,就是要在实践中培养和选拔干部,要通过"小改进、大奖励"来提升干部的素质。华为这种干部选拔制度,实际上也是对员工的一种激励,即只要在基层认认真真、踏踏实实执行工作的员工,都有机会晋升为公司的管理层。

任正非在一次内部会议上曾对员工这样说:"我主张你们在实干中不断提升自己的实际能力、管理能力,与人的团结能力。华为需要大量干部的时候,我们还是要在你们中间选拔优秀干部。但是即使有两个不优秀的,他们开后门上去了,不要怕嘛,我们都是有标准的,他干了一段时间干不了那活,他也得下来。一个人优点突出,缺点也会很突出,大家评议他的优点的时候,也常会评议他的缺点。结果这个有缺点,那个有缺点,都上不去。结果找了一个人,嘿,这个人大家都觉得没有意见,上来的却不是人才。怎么防止呢?就是要有多少年的记录,这些年走过的脚印是谁都不能否定和抹灭的。这样我们就能产生一大批优秀的干部。我们将来有根据拿出来,1937 年他打过日本鬼子,1938 年受过伤,1942 年的时候他还到敌后钻过青纱帐。那么一步步地记录下来,我们选拔干部的时候是一目了然。大家埋怨我们,说我们有时候是乔太守乱点鸳鸯谱。你说不点怎么办?

8000多人能认识几个？要做好调查吗？精力很有限。因此我们现在使用干部的过程中，也缺乏很深刻的依据。我们通过各种管理活动，通过各种管理工作，大家的评价，将大家的活动做个记录，即使没有得奖，我认为也应该记录，只是得奖的人多了1%的退休金。我认为这些记录对你一生的成长是有帮助的，但是，千万不要为功臣所累，不要以为自己是功臣了，就得意忘形了，那好，你就可能栽在这个自满的基础上了。"

《管理优化》报总第53期（1998年7月9日）发表任正飞在《华为公司委员会管理法》评审会上的重要讲话，指出当时干部队伍建设的几个重点：

"1. 精官简政。下半年开始要进行精官简政。以前出于熏陶培养、储备干部的考虑，建立了一支较大规模的干部队伍，现在机关消肿必须将一批干部放到基层去，整顿的第一个目标就是一把手，首先自查是否合乎要求？然后整改部门下面，通过整改提高干部素质，特别是提高具体操作技能。公司10年的成长，大多数干部忠诚，敬业精神强，但业务技能达不到公司预定计划，有的只知道工作有很大进步等等大话空话，这是新时代没技能的表现，这样的干部要逐步降薪下岗。

"2. 清理腐败现象。我们要保证队伍的纯洁性和旺盛的战斗力，公司强调思想上的艰苦奋斗。

"3. 干部要有创新意识。我们要特别重视有不同意见的干部，那些敢于向我们提意见的人，动机是好的，他们置个人利益于度外，关心爱护公司。我们不希望领导干部是一批乖孩子，要敢于承担责任。"

第六节 僵化，优化，再固化

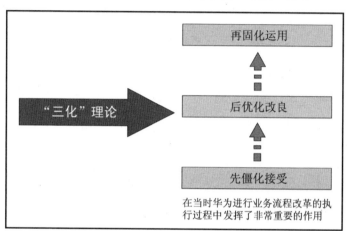

"先僵化，后优化，再固化"是任正非一个著名的管理改革理论，又称"三化"理论。是在华为引进国际化管理运作体系时提出的执行要求，即先僵化接受，后优化改良，再固化运用。这种在今天看起来很笨拙的方法，在当时华为进行业务流程改革的执行过程中却发挥了非常重要的作用。

1998年8月，华为与IBM合作正式启动了"IT策略与规划（ITS&P）"项目，开始规划华为未来3～5年需要开展的业务变革和IT项目，其中包括集成产品开发（Integrated Product Development，IPD）、集成供应链（Integrated Supply Chain，ISC）、IT系统重整、财务四统一等项目，其中IPD是这次项目再造最关键的一个重点。

所谓IPD是关于产品开发（从产品概念产生到产品发布的全过程）的一种理念和方法，它将产品研发的相关环节统一到一个团队中。这个团队由核心组以及扩展组构成。核心组包括开发、测试、中试（产品的小规模批量生产）、用户服务、市场、财务等各方面的代表。每个核心代表负责领导一个扩展组，比如开发扩展组包括资料开发，软硬件开发等项目经理。中试扩展组包括有产品数据、工艺、结构等项目经理。团队的领导是产品研发组织活动上的领导，而不是资源关系上的领导。各位核心代表虽然来自不同部门，但是在产品经理的领导下共同对一件或者多件产品负责，包括产品立项、设计、开发计划、产品发布情况等所有重大问题。任何一个环节的审核、评估都是通过所有核心代表一起商议做出决策，任何一个代表否决都不能通过。

自古以来，任何变革的落实与执行都会遭受各种各样的阻力，要想获得变革的最终胜利，变革的领导者就必须能够正确机敏地应对和顶住来自各方的压力和困难，针对企业实际制订合适的变革策略，华为的流程变革自然也不可避免地会遇到类似的状况。

由于这次的变革是在华为发展一帆风顺的时候进行的，当时的华为刚刚经历了连续 5 年的翻番式增长并在国内确立了龙头老大的市场地位。持续的成功让员工心里充满了自信和无往而不胜的良好感觉。华为集中了中国 IT 领域近万名的优秀人才，这些人的脑子里都充满了主意，有些员工还没有搞明白"集成产品开发"到底是个什么东西，就开始提出各种各样的问题，他们认为流程比 IBM 的还要先进。

1998 年 9 月，项目刚刚开始一个月，任正非在关于公司 IT 建设的会议上就异常严厉地指出："我最痛恨'聪明人'，认为自己多读了两本书就了不起，有些人还不了解业务流程是什么就去开'流程处方'，结果流程七疮八孔地老出问题。"

　　针对许多员工包括一些高层员工认为 IBM 的这一套不适合华为的论点，任正非非常明确地说："我们坚决反对搞中国版的管理、华为特色的管理。所谓管理创新，在现阶段就是要去消化西方成熟的管理。""IBM 是一个具有 80 多年悠久历史的公司，而华为还处在一个学生娃、课本式的幼稚管理阶段。我们一直摸着石头过河，但我们不希望掉到河里去。我们应该看到 IBM 已经站在相当的高度，它的坐标是世界级的，所以 IBM 指出我们的问题，我们一定要理解。"

　　由于 IPD 牵涉的面很广，华为规模大、产品线宽、系统复杂、技术含量高，刚一开始 IPD 在华为的实施是十分艰难的。任正非将推行 IPD 提到了关系华为生死的高度：IPD 关系到华为未来的生存和发展。任正非提醒各级组织、各级部门都要充分认识其重要性。通过"削足适履"来穿好"美国鞋"的痛苦，换来的是系统顺畅运行的喜悦。

　　任正非说道："推行 IT 的障碍，主要来自公司内部，来自高中级干部因电子流管理，权力丧失的失落。我们是否正确认识了公司的生死存亡必须来自管理体系的进步？这种进步就是快速、正确，端对端，点对点，去除了许多中间环节。面临大批的高中级干部随 IT 的推行而下岗，我们是否做好了准备。为了保住帽子与权杖，是否可以不推行电子商务。这关键是，我们得说服我们的竞争对手也不要上，大家都手工劳动？我看是做不到的。沉舟侧畔千帆过，我们不前进必定死路一条。

　　"危机的到来是不知不觉的，我认为所有的员工都不能站在自己的角度立场想问题。如果说你们没有宽广的胸怀，就不可能正确对待变革。如果你不能正确对待变革，抵制变革，公司就会死亡。在这个过程中，大家一方面要努力地提升自己，一方面要与同志们团结好，提高组织效率，并

把自己的好干部送到别的部门去，使自己的部下有提升的机会。你减少了编制，避免了裁员、压缩。在改革过程中，很多变革总会触动某些员工的一些利益和矛盾，希望大家不要发牢骚，说怪话，特别是我们的干部要自律，不要传播小道消息。"

为了保证变革的成功，任正非特别制订了对系统"先僵化，后优化，再固化"的变革方针。这也就是说，华为先是让员工在第一阶段"被动"、"全面"地接受这一套新的运行方式，等公司对整个系统的运行有了比较深刻的认知之后，再对其进行调整优化，最后自然也就能形成一套特有的华为自己的运行方式。任正非认为，在管理改进和学习西方先进管理方面，华为的方针是"削足适履"，对系统先僵化，后优化，再固化，切忌产生中国版本、华为版本的幻想。

为了保证将国际先进的管理体系不走样地移植到华为，任正非还下了死命令："不学习 IPD、不理解 IPD、不支持 IPD 的干部，都要下岗！5 年之内不许任何改良，不允许适应本地特色，即使不合理也不许动。5 年之后把国际上的系统用惯了，再进行局部改动；至于结构性改动，那是 10 年之后的事情。"

在任正非强力推动下，集成产品开发项目开始运行起来了。根据 IBM 咨询的方法，华为 IPD 项目划分为关注、发明和推广三个阶段。所谓关注阶段，是在调研诊断的基础上，进行反复地培训、研讨和沟通，使相关部门和人员真正理解 IPD 的思想和方法。发明阶段的主要任务是方案的设计和选取 3 个试点。推广阶段是逐步进行的，先在 50% 的项目中推广，然后扩大到 80% 的项目，最后推广到所有的项目。

单从技术的角度出发，IPD 让华为从技术驱动型转向了市场驱动型，它最终改变了华为人的做事方法。

1999 年末，集成产品开发进入局部推行阶段。在 IPD 流程里，人们参与另一种非实体的管理开发流程 TDT（Technology Development Team）——技术开发团队，每个 TDT 都由研发、市场、财务、采购、用户服务、生产等各部门抽调的代表组建，就像一个创业型小企业，而每个产品开发团队的负责人从研发开始就承担起从产品概念到计划、研发直到产品生命周期的全流程责任。他们的目标导向只有一条：满足市场需求并快速赢利。

实行集成产品开发之后，华为的研发流程发生了很大的变化。以前华为负责研发项目的负责人全部是由技术人员担任，现在则强调产品开发团队的负责人一定要有市场经验。

在新的集成产品开发流程中，市场代表带着产品规格、技术参数等信息到市场上搜集客户反馈，据此考虑市场空间、客户需求的重要性排序以及哪些需求会对未来的市场和产品竞争力产生重大影响等等问题。在市场人员的强烈参与下，真正的产品概念得以形成。

接着，财务代表根据市场代表提供的市场数据算账：需投入多少研发工程师、仪器设备成本、制造成本、物料成本、产品生命周期内销售额、利润等，一份商业计划书诞生了，用以说服 IPMT（公司投资管理委员会，按照当时的九大产品线分别设立）同意为该产品投资。

同样，采购人员也没等项目开始研发就引入了元器件供应商的竞争和谈判，结果使整个产品的成本降低了 40% 还多。而在以往，这些元器件的选择往往由研发人员决定，他们更多的是考虑如何使产品功能更强大，很少从降低成本角度来考虑。财务和采购的及早加入，使得产品在成本上的竞争力提高了许多。

在任正非的强力推动下，华为坚决贯彻了 IPD 流程变革，如今，IPD 的理念已经融入华为人的血液。

1999 年 11 月，集成产品开发项目第一阶段的概念导入正式结束，开始进入推广阶段。任正非在第一阶段总结汇报会上又对大家说："中国人就是因为太聪明了，五千年都受穷。日本人和德国人并不聪明，但他们比中国人不知道要富裕多少倍。中国人如果不把这个聪明规范起来的话，将是聪明反被聪明误。"

2003 年上半年，数十位 IBM 专家撤离华为，标志着业务变革项目暂告一个段落。此次业务流程变革历时 5 年，涉及公司价值链的各个环节，是华为有史以来进行的影响最为广泛、深远的一次管理变革。随着华为公司规模的日益庞大和市场的日益扩张，IPD 系统的重要性日益凸显出来。任正非为华为打造了一个 IT 支撑的、经过流程重整的、集中控制和分层管理相结合的、快速响应客户需求的管理体制，使华为能够与世界顶级的电信运营商用统一的语言进行沟通，为进入国际化奠定了基础。

链接

做一个有执行力的基层主管

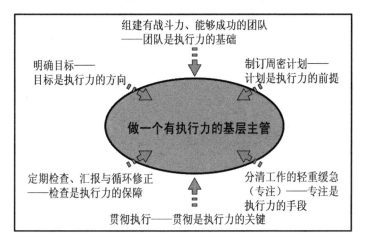

企业经营要想成功，战略与执行力缺一不可。执行力是什么？它是各级组织将战略付诸实施的能力，反映战略方案和目标的贯彻程度。许多企业虽然有好的战略，却因为缺少执行力，最终失败。数据显示，大多数企业的寿命都很短，中国民营企业的平均寿命只有2.9年。为什么？对200家企业调查的结果发现：40%的人正在按照低效的标准或方法工作。这些民营企业失败并不是战略问题，而是执行力的问题。

基层主管带兵作战，如果执行力不到位，就会直接导致公司战略目标的实施不力。闭环管理的方法，可以使基层主管通过传、承、授三方面的教练作用，从目标管理、时间管理、有效沟通、问题处理等方面，提高执行力。

一、明确目标——目标是执行力的方向

（一）个人目标与团队目标统一

执行力需要一个明确目标，只有当目标明确后，执行力才有了前进的方向。

对于基层团队，如何形成共同目标呢？首先必须把公司整体经营指标和目标逐层解码到基层团队，形成团队目标，让基层团队有明确的奋斗方向；其次，通过学习和讨论理解，把基层团队的目标分解到每一个员工，使每一个人都有自己的明确目标，清楚自己的奋斗方向。千斤重担众人挑，人人头上有指标，也使员工的努力能更科学地量化出来。

（二）有效沟通并达成共识

由员工与基层主管共同设立目标，对所设定的目标进行充分有效的沟通，取得共识后，双方签字确认目标设定的有效性。在沟通过程中有两点体会：

1.要学会倾听。沟通的时候，要暂时忘掉自我的思想、期待、成见和愿望，全神贯注地理解谈话的内容，与他一起去体验，感受整个过程。

2.换位思考。只有沟通的双方采用换位思考的方式，使谈话双方都站在对方的角度上，设身处地为对方考虑，才能真正体会彼此的意思，也才能实现有效的沟通。

（三）目标需要 SMART 化

SMART 化的目标能够提供足够动力，凝聚较多资源，自动自发进行改进，达成目标。在设立目标时，须符合"SMART"特征：S——明确的、M——可测量的、A——可实现的、R——相关性的、T——时效性。制定目标需要有挑战性，一般来说，我们设立的目标是需要踮一下脚才可达到的目标。完成了一个目标后，可以再制定更有挑战性的目标。

二、组建有战斗力、能够成功的团队——团队是执行力的基础

(一)寻找和培养有执行力的人

明确团队目标之后，就必须把团队组建成有战斗力、能够成功的团队。有战斗力、能够成功的团队必须有执行力很强的人。虽然团队的成员不见得个个是精英，但是个个都应能够发挥自己最好的能力，使团队获得成功。这样的团队成员在性格、知识和技能程度等方面可以不一样，但他们都有一个共同的特点：他们是对自己、对工作有高度责任感的一群人。我们团队总共有 17 人，其中新员工 10 人。为了有效地贯彻执行，解决新员工"盲"的症状，按照产品族的方式分成三个产品工艺团队，每个团队由一个执行力很强的人来负责，由他们来带动新员工执行计划。他们就是团队的核心骨干。在他们的领导下，整个团队成员坚决执行计划，成功地预估和解决了许多重大问题，团队的战斗力和凝聚力比以前上升了一个台阶。

我们应该相信"时势造英雄"——给员工造势，让他们发挥巨大能量，成为真正的英雄。让他们承担的责任越多，他们就会飞得更高。

(二)有效授权和构建决策力

作为基层主管，首先应该明白什么事情必须自己处理，什么事情应交由团队核心骨干处理，什么事情交由团队其他成员处理。而不是什么事都事无巨细地亲自去做，要有效授权。

授权时，不仅要授人以鱼（决策权），更要授人以渔（决策力，即如何进行决策）。不仅找到"愿意把信送给加西亚"的人，更应该是"有头脑的能把

信送给加西亚"的人。良好的执行力，是一种基于决策的执行力，也是一种基于"头脑要发达四肢也要发达"的执行力。

三、制订周密计划——计划是执行力的前提

制订计划要把握三点：1. 计划的任务主要来自目标明确分解成的工作任务、技术方案、产品检视、质量改进等；2. 计划需要探寻达成目标的各种途径，选定最佳的关键路径，如通过网络图对活动排序，找出工期最长的路径；3. 一些重大任务或项目还需要考虑制订沟通计划、风险计划。有了这些计划，不仅可以解决"拖"的问题，还可以审视项目进展是否满足期望，以及降低项目的风险。

四、分清工作的轻重缓急（专注）—— 专注是执行力的手段

要专注，抓住重点。将军如果分散兵力就容易被逐个击败，一个时间关注一件要事，就可能成功。为了解决重要任务未及时完成的问题，应将所有计划任务按照"重要程度"和"紧急程度"两个纬度，设置轻重缓急。第一象限，即是 A 类任务（重要＆紧急），要优先完成。第二象限，即是 B 类任务（重要＆不紧急），如规划、问题改进措施等。原则是优先做 A 类任务，其次 B 类任务，少做 C 类任务，不做 D 类任务。

五、贯彻执行 —— 贯彻是执行力的关键

在执行过程中，一定要以身作则，成为带动全局的发动机。基层主管要不断地认真分析任务的执行情况、团队的问题、员工的状态，找出差距，并进行正确深入的引导。我们制定了两点措施：1.QAISEE 有效跟踪六步骤：

Q——明确问题；A——充分讨论；I——现场取证；S——制定措施；E——措施实施；E——效果确认。2.骨干员工要亲自负责具体任务。在3个月的改进中，我们核心骨干亲自跟踪并解决了多个棘手问题，团队士气也得到提升。

在执行过程中，要关注细节。老子言："天下难事必作于易，天下大事必作于细。"细节把握程度越高，做得越细，执行效果越好。如在质量改进过程中，我们通过六西格玛和5W1H（六合分析法）的方法不断地追究根本原因，最终发现一个困扰我们几年、一直未得到有效解决的器件开焊问题，根源是生产车间库房分料环节不合理导致引脚变形。之前一提到器件开焊问题，大家就会说原因是"器件引脚来料就变形"。通过这个案例说明：细节关注到了，问题根本原因才能被挖掘，措施才能有效，质量才能得到稳步提高。

六、定期检查、汇报与循环修正——检查是执行力的保障

每个计划都应设立监控人，并有效授权给团队核心骨干和其他成员，例如季度计划监控人、月度计划监控人。同时定期反馈和汇报。一旦发现与目标有偏差，必须找到问题所在，并提出改进措施。

作为基层主管，要紧盯A类任务，不定期地寻求反馈和汇报。俗话说"百闻不如一见"，检查工作的过程，一是发现与解决问题，二是鼓舞士气。你强调什么，就检查什么，从责任人那儿得到反馈，并与他一起解决问题。千万不要拖延到计划末的时候再检查。

（本文摘编自华为内刊《华为人》第 188 期，2007 年 6 月）

专题

员工执行力不高的原因

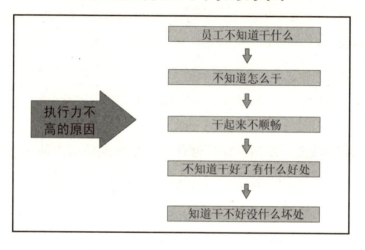

何谓执行力？执行力"就是按质按量地完成工作任务"的能力。个人执行力的强弱取决于两个要素——个人能力和工作态度，能力是基础，态度是关键。员工执行力不高，怎么办？

首先，找出执行力不高的原因。

通过对大量国内企业的研究并与外企进行对比，可以发现执行力差的原因不外乎以下五个方面：

1. 员工不知道干什么

有的公司没有明确的能够落实的战略规划，没有明确的营销策略，甚至没有年度营销大纲，使员工得不到明确的指令；也有的公司营销策略不符合市场需求，员工只好自发地进行修改；还有一些公司政策经常变，策略反复改，再加上信息沟通不畅，使员工们很茫然，只好靠惯性和自己的理解去做事。

这就使员工的工作重点和公司脱节，公司的重要工作不能执行或完成。

2. 不知道怎么干

外企的员工入职后一般都要经过严格的培训。正式上岗前都要把产品知识烂熟于胸，都要经过 1～2 周的销售技巧培训，以后每年都有规定时长（如40 小时 / 每年）的培训。

而国内企业则不然，要么没有培训直接上岗，要么培训没有针对性和实操性，如有的公司对员工做励志培训和拓展训练，使员工热血沸腾但工作怎么干还是不知道；有的公司给低层员工做一些行业趋势、宏观战略的培训，也还是没有交给他们方法。

当然，这里面还有一个比较普遍的深层次原因，就是中高层领导业务能力差，自己不知道怎么干，就没法对下面的人说清楚，总监说不清，经理也说不清，最后是真正执行的最底层不会干，有苦说不出。

3. 干起来不顺畅

如果士兵在前线打仗，后勤给养供应不上，通讯中断，请求支援但是指挥部没有反应，负伤了得不到快速的救护，那士兵的斗志显然会受到很大的影响。

公司亦然，2000 元的促销费用要给经理批，经理批完总监批，总监批完副总批，副总批完财务批，财务批完老板批。结果总监出差耽误了 15 天，副总出差耽误了 15 天，财务不懂业务，搞不懂这笔钱该花不该花，也不想去求证，就把这事搁置了 1 个月，最后这笔钱终于批下来了，但是用了 3 个月，已经不需要做促销了。申请者一开始要不断地解释为什么花这笔钱，然后又要不断地解释为什么不花，或者是花了但效果不好又要编造一堆理由，热情被消耗，慢慢地变得不主动做事了。

4. 不知道干好了有什么好处

国内企业也大都有对员工的激励措施，尤其是对销售岗位更是必不可少的。但是在制定激励政策时却往往犯一个错误，就是把政策制定得太过复杂，使员工很难算出来下个月自己花多少精力达到什么结果就能拿多少奖金。这样就使激励政策的作用大打折扣。

销售永远都是只看眼前的，这是工作性质决定的，当眼前的好处看不到时自然就没有太大的兴致去做。

5. 知道干不好没什么坏处

知道干不好没什么坏处来自于三个方面：一是没有评估；二是考核指标不合理；三是处罚不重或没有处罚。

很多部门的工作成果不适合用硬性的指标来考核，比如财务部、市场部和后勤部就很难设定直接的评价指标，这些部门的工作就需要懂业务的高管根据经验评估，如果高管没有能力做出公允的评估，内驱力不强的员工就可能懈怠工作。

考核指标不合理是国内企业最常犯的严重错误，突出表现在定性指标太多，诸如团队精神、创新能力、忠诚度等等五花八门，这些指标的考核分带有太多的人为因素，而实际生活中又偏偏有一个共性的现象，就是"业务能力强的人往往不太听话，不干活的人往往人缘比较好"，这会造成什么后果呢？不干活的人照样能够获得很高的综合评分，个人利益不受影响。

处罚不重或没有处罚也比较常见，有的是亲缘、血缘、地缘关系，能放一马就放一马；有的是自己的人，当然不能处罚；有的虽然是民企但是保留着国企作风，你好我好大家好。当罚而不罚严重破坏了游戏规则，"榜样的力量是无穷的，坏榜样的危害也是无穷的"。

（本文摘编自《执行力探析：如何避免吃"大锅饭"》，来源：牛津管理评论，2012 年 6 月）

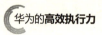

第五章

激活团队执行力

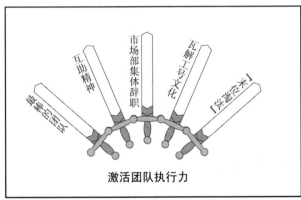

市场部集体辞职　瓦解工号文化　互助精神　最拳名园区　『笑着』公关

激活团队执行力

HUAWEI DE
GAOXIAO ZHIXINGLI

第一节 最棒的团队

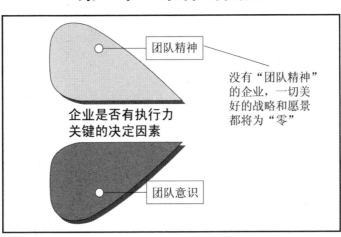

隆巴迪是个有传奇色彩的橄榄球教练。他曾跟朋友谈起球队的成功秘诀："一个球员起码必须知道打球的基本规则，以及怎样打好自己的位置。其次，必须训练他跟别的球员搞好搭配。最重要的，还须使球员明白，打球必须发挥整个球队的作用，不能各打各的，不互相照应。球赛不是个人的明星式表演，我把这种精神称为'团队精神'。"

"一个优秀的球队之所以不同于普通球队，关键在于球员是否相互关切、配合默契，这就是'团队精神'。如果球队里充满了这种精神，这个球队一定可以稳操胜券。"

一个人没有团队精神将难成大事；一个企业如果没有团队精神将成为一盘散沙；一个民族如果没有团队精神也将难以强大。

衡量一个企业是否有执行力，关键的决定因素是企业是否有团队精神,企业的员工和企业的"带头人"是否具有团队意识。没有"团队精神"的企业,一切美好的战略和愿景都将为"零"。

领导者的执行力,绝不能是孤军深入,而是带领整个团队共同前进;不是用一己之力,而是善于用众人之力、众人之智。

2001年7月,王海暾作为华为项目经理被公司派到沙特STC TEP450项目主持项目交付。该项目是公司在中东的第一个项目,时任片区总裁的丁少华说:"这是我们在中东得到的一滴水,我们要继续努力得到一滴又一滴的水,最终汇成一条河。"

那时,王海暾已经是颇有经验的项目经理。但面对沙特项目,王海暾不得不从头摸起。一方面因为公司自成立以来从没有TK项目的交付经验;一方面公司当时也没有多少海外交付的经验,在人员和技能储备上还远达不到交付项目的要求。

王海暾经常是刚与客户开了会,回头立即带领团队梳理要点,吃饭睡觉的时间都不放过,逐渐摸清了土建、光网铺设等工作的思路,很长一段时间每天都只吃一顿饭。

高强度的压力下,团队里开始出现了一些不和谐的声音,这是王海暾以前项目中从未遇到的。项目组一位老员工提醒:"王海暾,你自己拼命三郎,你自己不吃饭,你想过别人吃饭不?你有没有想过别人的感受。项目管理不是一个人的事,是整个团队的事!"

一语惊醒梦中人,王海暾回忆说:"以前我老强调'我是公司最棒的项目经理',但当你在这个行当里时间长了,你会发现项目管理的精髓还是在于发挥团队合力!需要强调'我们是最棒的团队'。"所以在接下来的工作中,王海暾开始有意识关注团队能力的建设。首先为团队找到使命感:

"我们承担的是公司第一个 TK 工程，公司把这样一个项目交给了我们，说明我们是公司最棒的团队；同时加强对项目成员的培训培养和对他们的关怀。"

从"我最棒"到"我们最棒"，王海暾和他的团队成长很快。2001 年底，项目组本地员工 Paul 在沙特阿拉伯 Khurais 地区的机房成功呼叫，这是华为第一次在这个国家成功呼出电话。Paul 说："我非常幸运地成为打出第一个电话的人，至今这仍是我记忆中入职华为以来最幸福的时刻！"

2002 年 10 月，第一期项目成功交付，获得客户高度评价。从此，沙特市场的大门开始向华为打开。目前，沙特代表处已经是华为最大的海外代表处之一。

企业就是一个团体，讲究的是一种团队精神，要打造一个执行力强的企业，就必须打造执行力强的团队。要把每个人都融入团队中去，使他们觉得在团队中大家都是荣辱与共的，缺了谁都不行，每个人工作的部分都是企业链中的一环，只有这样的团队执行起来才是务实、高效的。

第二节　互助精神

有这样一个故事，有人和上帝谈论天堂和地狱的问题。上帝把他带入两个不同的房间，每间房里都有一大锅肉汤，但每个人看起来都营养不良，绝望又饥饿。他们每个人都有一只可以够得到锅子的汤匙，但汤匙的柄比他们的手臂还要长，自己没法把汤送进嘴里。而另一个房间里的一切和上一个房间没有什么不同，一锅汤，一群人，一样的长柄汤匙，但大家都在

快乐地唱歌。原因很简单，在这儿他们会喂别人。

有专家打了这样一个比方：假如日本最优秀的员工与欧美最优秀的员工做一对一的对抗，日本员工多半不能取胜；如果以班组或部门为单位比赛，日本总是占上风。为什么？因为日本人强调团队的力量，强调团队精神。日本的员工对企业有一种强烈的归属感，同事之间精诚合作，共同维护团体利益；当企业遇到困难，大家抱成一团，同舟共济。而欧美则盛行个人主义、个人奋斗，通常不能形成强大的团队执行力。

所谓的团队精神，其核心是协同合作，最高境界是全体成员的向心力、凝聚力，团队成员为了团队利益与目标而相互协作，共同承担责任，齐心协力，会聚在一起，形成一个团结、高效的集体。

如果没有团结奋斗、荣辱与共的思想境界，任何一个企业都不可能在当今社会上生存下去，但团结协作同样要以强大的凝聚力作为后盾，而华为恰恰具备了这两方面的优点。"胜则举杯相庆，败则拼死相救"，这是华为团队的精神境界。

说到华为的互助，其实源自《左传·襄十一年》：如乐之和，无所不谐。就是提倡企业管理者与员工之间，员工与员工之间要协调默契，上下一心，相互尊重、宽容和理解，要坦诚相待，互相帮助，文明礼貌，亲密团结。华为的互助不是单纯的一个人遇到困难，另一个人来帮忙这么简单，而是几乎涵盖了企业和员工的方方面面，是在你没有遇到困难或可能要遇到困难的时候，都会有人通过各种形式向你伸出援手。

华为的考核表中几乎所有职位都有一个共同的考核要素：和同事的合作。这一项在 100 分的考核中占 10 分。这项考核的主要评分标准就是看在两次考核之间是否有华为的其他员工投诉过你。但是，大可不必因为这个而处处唯唯诺诺，巴结讨好同事。因为经过华为文化熏陶出来的华为人已经接受了以公司为重的理念，大多对事不对人，即使你是总监，有些事情处理不得当，也免不了会有人投诉你，投诉你的人可能就是个普通的工作人员。在华为，投诉别人的人很多，被投诉的人也不会怀恨在心。最关键的是，只要在华为工作超过两年的员工，几乎都有类似投诉和被投诉的经历。华为规定，一旦你被别人投诉，不管是不是事实，不要争辩，先自我检讨，然后和投诉你的人做一个交流。通过别人的帮助，被投诉人不仅能改进自己在工作中的不足，而且很多情况下，被投诉者和投诉人在沟通的过程中建立了深厚的友谊。

在华为，人力资源部是"人力资源委员会"的秘书机构，这除了对它权力的界定外，还有一个用意就是"服务"。但凡比较重要的制度，人力资源部首先想到的是如何让员工更好地理解，他们通常情况下会仔细研读，揣摩出其中的精髓，然后由相关人员通过电视会议或者亲自到各地给华为的员工宣传和讲解；但凡稍微复杂一点的表格，人力资源部都会和相关部门进行沟通协调，为你设计好一个模板让你参考；会议还没开始时，投影仪的光已经打到墙上，主持人已经把电脑和话筒调试到了最佳状态。

在华为，一个给客户的技术讲座或一个时间紧急的报价，行政人员齐上阵，一夜不眠做出大量精美的资料。仅就市场资料而言，华为就会领先对手一步。

华为的员工几乎都有过这样的经历，在出差前只要给当地的华为办事处打一个电话，告诉秘书你所属的办事处和需要预订的房间数，那边的工作人员马上就会和当地华为的签约酒店取得联系，办好一切入住手续后，会在第一时间给你回电话，向你通报预订的相关信息，如果顺利，这个程

序在 10 分钟内就会完成，而且整个过程中，对方绝不会过分追问你的底细。

此外，各个驻外机构都会有一本由华为总部统一编印发行的"行政指南"。在那本精心准备、定期刷新的好几十页的小册子中，你会一目了然地看到全省各地的华为签约酒店、景点指南、酒吧、咖啡厅，还有各类躲在旮旯胡同里的火锅店、鸭头店、烧烤店。这项举措大大方便了华为在全国各地的员工。因此华为在北京、上海、杭州等旅游城市的驻外机构，几乎成了全国、全世界华为人、华为客户的"旅游服务中心"。

在华为，领导们的客户服务和团队意识十分强烈，也非常宽泛。他们可以在恶劣的天气里一站几个小时迎接客户，也可以自己开车去帮同事送东西，主动给下属倒水。华为的文化告诉他们，下属是内部的客户，内部客户和外部客户都是上帝。

正是华为这种团结合作的强大文化，有效地弥合了一部分因华为组织庞杂、流程不畅所产生的"内部公关文化"。所以，在这种人与人之间和谐相处、制度化保障的团结互助的氛围中，华为取得了比别的公司更高、更快的成就。

没有团队意识的员工，无论学识有多高、技术有多精、学历有多深，都将不会朝着有利于组织的方向发展，一切才华、学识对于这个企业来讲或许都是零。而没有团队意识的企业带头人，就会成为"光杆司令"，无法将无数的个人精神，凝聚成同心协力、团结共进、群策群力、众志成城的团队精神。

第三节　市场部集体辞职

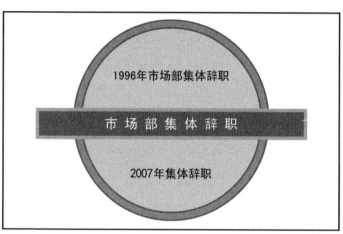

1996 年市场部集体辞职

1996 年 1 月，华为发生了一件震惊整个中国企业界的大事——华为市场部集体辞职。任正非要求所有正职干部，从市场部总裁到各个区域办事处主任，每人都要提交两份报告，一份是述职报告，一份是辞职报告，然后通过竞聘考核，择优上岗。结果市场部 30％的员工被撤换，26 个办事处主任中的 6 个被更换，代之以一批新鲜血液。这是华为第一次大规模的人事制度改革，任正非的用意深远。"市场部集体大辞职对构建公司今天和未来的影响是极其深刻和远大的。"

当时的华为由于在 C&C08 交换机上的技术突破，其产品开始向市场大面积渗透，进入了高速发展阶段，而公司管理水平低下的问题也逐渐暴露出来，尤其是在人力资源方面的问题更加明显。

华为创业时期的员工，都在公司内担任较高的职务。随着职位越升越高，工资只能越升越高，而公司所能提供的发展空间却越来越小。一些人丧失了创业时的激情，已跟不上企业的高速发展，业绩增长不尽如人意。这也使新员工的工作积极性受到了很大影响。任正非始终认为企业的成功要靠员工的共同努力，因此调动员工的积极性是企业保持活力的关键，成为企业长盛不衰的基石。于是他意识到如果不改变现状，对华为来说将是很危险的。

任正非认为，任何一个民族、任何一个公司或任何一个组织只要没有新陈代谢生命就会停止。只要有生命的活动就一定会有矛盾，一定会有斗争，也就一定会有痛苦。"如果说我们顾全每位功臣的历史，那么我们就会葬送我们公司的前途。如果我们公司要有前途，那么我们每个人就必须能够舍弃小我。"

之所以选择市场部作为突破口，是因为当时在华为，市场部是最风光的部门，为华为的发展立下了汗马功劳。在很多华为人看来，没有市场部员工们的前赴后继的奋斗和执行华为的经营目标，就不会有华为的辉煌。而这样的决定让很多对市场工作充满感情的员工难以适应。

在实施以前，任正非又专门作了动员讲话："为了明天，我们必须修正今天。你们的集体辞职，表现了大无畏的毫无自私自利之心的精神，你们将光照华为的历史！"

华为整训工作会议历时整整一个月，接下来就是竞聘上岗答辩，公司根据个人实际表现、发展潜力及公司发展需要进行择优录用。包括市场部代总裁毛生江在内的 30% 的干部被调整下来。

毛生江进入华为不久就担任了 C&C08 交换机的开发项目经理，参加研发后转做市场销售。毛生江的第一次商务谈判是东北第一台容量超过两万门的交换机项目，该单合同金额共 1000 万元，压力巨大。但最终他还是想尽一切办法顺利完成了任务。1995 年 11 月，毛生江调任市场部代总裁。

这个突然的决定，意味着他辛勤经营的成果将有可能付诸东流。刚开始他无法接受，但经过短痛之后，他重振精神，一切从零开始。2000 年 1 月 18 日，已经脱胎换骨的毛生江被任命为华为执行副总裁。

任正非说道："4 年前的行为隔了 4 年后我们来做一次评价，事实已向我们证明那一次行为是惊天地的，否则也就不可能有公司的今天，我认为毛生江给我们带来的是一种精神，这种精神是可以永存的。在市场部集体大辞职中毛生江是受挫折最大的一个人，经历的时间也最长，但是他在这 4 年中受到了很大的锻炼，也得到了很大的成长。"

"如果没有这种精神，那么以后的改革还是会有问题的。好在总算有这一次的榜样，好在总有 4 年历史的检验。有人痛苦 3 个月是没有什么问题的，半年或许也是没什么问题的。但是 4 年，相当于人的生命的多少分之一，不是谁都能够受住这么长时间的考验。所以向市场部特别是向毛生江学习这种精神，我认为是华为公司员工可以遵循的一种标准。人的生命是有限的，但他的精神是抽象的、是永恒的，我认为应把这种精神记述下来，流传下去。"

这种野火般激烈的调整方式在后来虽颇受争议，但在当时确实达到了任正非所想要的效果。2000 年 1 月，任正非在"集体大辞职"4 周年纪念讲话中，高度评价了这一运动。"市场部集体大辞职，对构建公司今天和未来的影响是极其深刻和远大的。任何一个民族，任何一个组织，只要没有新陈代谢，生命就会停止。如果我们顾全每位功臣的历史，那么就会葬

送公司的前途。如果没有市场部集体大辞职所带来的对华为公司文化的影响，任何先进的管理、先进的体系在华为都无法生根。市场部集体大辞职是一场洗礼，他们留给我们所有人的可能就是一种自我批判精神。"

通过市场部集体大辞职，华为构建起能上能下、充满竞争氛围的干部任职制度。任正非指出，市场部集体大辞职的壮举，开创了华为公司内部岗位流动的制度化，使职务重整成为可能。因为创业期间他们功劳最大。他们都能上能下，别人还不能吗？

任正非以市场部集体大辞职这种独特方式让华为人明白，在华为，一切的成绩和荣誉只能代表过去。同时，他也希望通过强大的防范力，将市场压力持续地传递下去，使华为内部机制永远处于激活状态，永远保持灵敏和活跃。他坚信一个人或一个公司永远像野猫一样，处于被激活状态比什么都重要。唯有这样，华为才能活下去，进而才能在国际市场上迅速成熟和成长起来。

任正非总结道："市场部集体大辞职实际上是在我们的员工中产生了一次灵魂的大革命，使自我批判得以展开。作为我个人也希望树立一批真真正正烧不死的鸟作凤凰。有极少数的人是真正'在烈火中烧'，如果说他们能站起来，那他们对我们华为人的影响是无穷的。"

2007 年集体辞职

2007 年 10 月，一向神秘低调的华为再一次成为人们关注的焦点。原因是华为再次上演员工集体辞职事件，这一次共有包括任正非在内的7000 多名具有 8 年以上工龄的员工自愿辞职竞岗。

这次的集体辞职事件由于刚好发生在《劳动合同法》实施之前，因此很多人认为这是华为为了规避新《劳动法》而采取的应变措施。而实际上，这只是清理和激活"沉淀层"所采取的又一次行动罢了。

按照任正非和公司的要求，凡 1999 年 12 月 31 日前入职的员工，在 10 月 31 日前由个人向公司提交一份辞职申请，辞职申请一签字，当事人即办理辞职手续，转移资产。一周后，辞职员工再竞争上岗，与公司签订新的劳动合同。工作岗位基本不变，薪酬略有上升，并且享受一到两个星期的假期。

所有辞职员工，都将获得公司相应的补偿，补偿方案为"N+1"模式：工作年限（不满 6 个月按 6 个月算）N+1，乘以当月工资（含上年年终奖的 1/12），税后计发，而且离职员工保留所持有的虚拟受限股资格。经粗略计算，单是给辞职员工的补偿，华为就将付出十几亿元。

华为的这一举动立刻在社会上引起了强烈反响，许多人认为，华为特意将大辞职安排在新的《劳动法》即将实施之际，是在钻法律的空子，来规避风险。一时间各种怀疑、猜测纷纷见诸报端，闹得满城风雨。

那么，任正非这一行动背后的真正动机是什么呢？实际上，这是华为在二次创业过程中为增强企业活力进行的又一次改革。这次改革彻底取消了工号，不再以工龄论英雄，而是重新洗牌，依靠能力论高下了。

"华为不是裁员，更不为规避劳动法，而是公司 2005 年以来人力资源改革的延续。"华为相关人员这样说，"华为在新老员工之间收入分配不公一直为外界诟病，也成为内部分裂的隐患。为了解决长期存在的'工号文化'，公司付出了很大代价，连任正非和孙亚芳都在这次'先辞职再竞业'之列。"

工号在华为有着重要的意义。随着华为不断壮大，员工工号也已经排到十万序列，名字很难标示一个人的身份，于是工号就成为每位员工身份识别的符号。在华为，工号不仅代表着资历，还代表着财富。

华为在成立初期建立了股权激励计划，员工根据工作时间可以获得一定的内部股，由于员工的工号在一定程度上能反映出员工的工作时间，就使得工号与股权间接相连。这就形成了华为独特的"工号文化"。但逐渐地，"工号文化"的弊端也开始显现，很多老员工单凭内部股票就可以每年获得不错的收益，与新员工的收入形成明显对比，严重打击了员工积极性。

"老员工拿着高薪和分红，而新员工工作压力大，没有股票，收入相对比较低，对部分老员工的抵触情绪比较大"，华为相关人员称。从而导致华为新员工近几年流失率颇高，这也是华为下决心引入"先辞职再竞业"这剂药方的重要原因。

2007年12月底，华为人力资源部向全体员工发布的一份《关于近期公司人力资源变革的情况通告》将此次事件总结定性为"7000人人事变革事件"，并称这将与"1996年市场部集体大辞职"、"2003年IT冬天时部分干部自愿降薪"一样，永载华为史册。

该通告中明确指出，此次事件共涉及6687名高中级干部和员工，其中6581名员工已完成重新签约上岗，共有38名员工自愿选择了退休或病休，52名员工因个人原因自愿离开公司，16名员工因绩效及岗位胜任等原因，经双方友好协商后离开公司。通告还称，在此次人事变革活动中，有着1号工号的任正非也率先向董事会提出了退休申请，在11月份得到了董事会的批准。但经过董事会的挽留协商，任正非继续返聘担任CEO职务，并从12月14日开始重新返聘上任。

对于这次集体辞职事件，很多人都认为华为付出十几亿元补偿的代价不值得，但是在任正非的心中，保持员工队伍的活力和创造性显然比金钱付出更重要，是企业持续发展的需要。

第四节 瓦解工号文化

"工号文化"在华为的发展过程中起了较为重要的作用，工号的唯一性有利于华为进行人力资源管理，工号的信息属性能够有效地反映出工号拥有者的身份、资历、地位，便于相互不熟悉的员工之间基于工号建立"下尊上、新尊老"的企业伦理文化氛围。

一位曾在华为任职的人士表示，在很多华为人眼中，工号的长短被视为炫耀的资本。工号是华为对员工的编号，任正非是001号，以此类推，按照入职时间先后排序。实际上，华为在成立初期为了给予员工长期激励，建立了股权激励计划，员工根据工作时间长短可以获得一定的内部股，由于股权与工作时间以及员工的工号间接相连，这就形成了华为独特的"工号文化"。

曾有华为员工这样表示："在看邮件时，如果是在我的工号之前的人发的，肯定是重要的，要看。如果和我差不多的工号，那也会看，但不会那么在意。如果显示的是自己后面的工号，更多的时候就直接跳过了。"工号这串数字，成为了华为员工论资排辈的最明显体现。华为的工号排列规则是，有人走了，工号就要空着，不会往上补人。

华为员工王小乐2004年进入华为。王小乐向《新世纪周刊》这样描述华为的工号文化："有事要发邮件，一般年轻职工都不理，然后就抄送给一个焊工房的女孩，一个操作工，她来得很早，几百号，一看同时抄送给她，所有人就回邮件，（以为领导在关注了）非常重视。"

同时，随着时间的发展，"工号文化"的弊端也开始显现，部分老员工单凭内部股票就可以每年获得不错的收益，与新员工的收入形成明显对比，严重打击了员工积极性。华为的"工号文化"，除了让大家觉得工号靠前的人就是有钱人之外，在公司的很多方面也有很深的影响。这样，影响了华为的团队氛围和工作的执行。

华为员工童小松（化名）在接受《经济观察报》记者采访时曾说道：记得有一次他找到公司专门预订机票的部门预订机票，这个部门的服务员首先就是看工号，一看他的工号比较靠后，询问信息时对他呼来喝去。而在此时，进来一位工号比较靠前的同事，这位服务人员立马热情异常。这让童小松非常郁闷。

在2007年华为"7000人集体辞职事件"中，华为公司要求包括任正非在内的所有工作满8年的员工，在2008年元旦之前，都要办理主动辞职手续，竞聘后再与公司签订1~3年的劳动合同；废除现行工号制度，所有工号重排序。001号不再是总裁任正非的专属号码。

童小松认为华为采取辞职再上岗的方式，其实就是核心高管们已经意识到"工号文化"的巨大危害。"任正非以身作则，也就没有任何人敢提出异议。所以我觉得这一政策更多的目的是企业内部自救式的改革而非只是为了规避《劳动合同法》的风险。"

"工号文化的确部分制约了公司的创造力。"华为在声明中表示，此次另一个目的则是针对公司逐渐出现的"工号文化"。"让公司更有活力，内部分配的不和谐需要做一些调整。"华为表示，因为配发股票期权等历史原因，一些进公司较早的员工有了一定的物质积累。

　　"这本来是体现了华为所倡导的'以奋斗者为本'的原则的，但是却有极少数进公司早的人'小富即安'，开始少了进取之心。"华为公司表示，2007 年"先辞职再竞岗"也是针对这些极少数人。

　　"集体辞职"，让大家先全部"归零"，体现了起跑位置的均等。竞聘上岗，又体现了竞争机会的均等，这种看似"激烈"的方式的背后，实际隐含着的是一种"公平"。

　　2009 年 9 月，阿里巴巴集团 10 周年庆祝会的欢庆味道余温未退，18 位创始人就不幸遭当头棒喝，阿里巴巴集团董事长马云宣布，阿里巴巴的创业元老集体辞职，重新应聘，阿里巴巴集团从此进入合伙人时代。1 到 18 原本是作为创始人标记的工号。通过重新竞聘后，这 18 个人的工号数字将排在 2 万位之后。可见，工号文化同样让阿里巴巴这个新兴的企业深恶痛绝。

第五节 "末位淘汰"

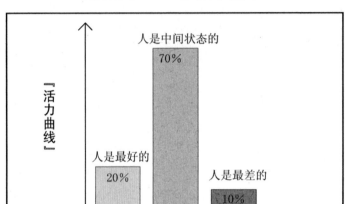

SOHO 中国董事长潘石屹曾这样描述过"末位淘汰制":"我曾见到过 TCL 人力资源部的一篇文章,它给我们描绘了这样一幅画面:一群人向着远方出行,时快时慢,时疾时徐,他们和睦相处,相携与共,其乐融融。可是后面突然有狮子追赶,而且铁定每过一段路就吃掉落在最后面的人——不管他是谁。于是人群始终充满危机感,所有的人都不断挑战自己的潜能,没有停歇下来的时候——这是多么残酷无情啊!其实'末位淘汰'并非'末位死亡',而是末位离开。有狮子追赶的人群必定是潜能得到极大开发的人群,尽管末位者不得不离开了,但他已经得到了鞭策和开发。"

在国际化、全球化趋势日益明显的今天,面对越来越残酷的竞争,如何使企业始终保持优势充满活力,是每个企业都面临的问题。为了避免被淘汰,必须不断调整,不断改进。

末位淘汰制在企业界历来备受非议。但是在华为，它就是公司的自然淘汰制，是一项非常重要的用人制度。

在一次市场部例会上，任正非提出：在市场低迷期间，要加强队伍素质的建设，培育一支迎接未来的铁军。他表示："军队的方式是一日生活制度、一日养成教育，就是要通过平时的训练养成打仗的时候服从命令的习惯和纪律。如何在市场低潮期间培育出一支强劲的队伍来，这是市场系统一个很大的命题。要强化绩效考核管理，实行末位淘汰，裁掉后进员工，激活整个队伍。"

任正非曾在一次内部讲话中指示："每年华为要保持5%的自然淘汰率。"这在华为内部被称为"末位淘汰制"。任正非认为通过淘汰5%的落后分子能促进全体员工努力前进，让员工更有危机感，更有紧迫意识。员工为了不被淘汰，就必须不断地提高自己、调整自己，以适应公司的要求和发展形势。而这种能上能下、有进有出的竞争机制也给公司带来了活力。

到目前为止，在华为只有过两次比较剧烈的末位淘汰。一次是在1999年，由于受中国移动从中国电信分拆的影响，华为丧失部分订单，当年的淘汰幅度在10%左右。另一次是在2001年~2003年的全球电信行业"冬天"期间，华为不得不减少招聘数量，并加大了末位淘汰制的执行力度，真正达到了3%~5%。这也是华为成立以来最严格的一次末位淘汰制，以至于外界误认为华为开始裁员了。

任正非这样解释华为2002年的末位淘汰，以回应外界人士的误解以及一部分内部员工的担忧。"事实上我们公司也存在泡沫化，如果当年我们不去跟随泡沫当时就会死掉，跟随了泡沫未来可能也会死掉。我们消灭泡沫的措施是什么？就是提高人均效益。"

"队伍不能闲下来，一闲下来就会生锈，就像不能打仗时才去建设队伍一样。不能因为现在合同少了，大家就坐在那里等合同，要用创造性的思维方式来加快发展。军队的方式是一日生活制度、一日养成教育，就是要通过平时的训练养成打仗的时候服从命令的习惯和纪律。如何在市场低潮期间培育出一支强劲的队伍来，这是市场系统一个很大的命题。要强化绩效考核管理，实行末位淘汰，裁掉后进员工，激活整个队伍。"

"我们贯彻末位淘汰制，只裁掉落后的人，裁掉那些不努力工作的员工或不胜任工作的员工。我们没有大的结构性裁员的计划，我们的财务状况也没到这一步。和竞争对手比起来，我们的现金流还是比较好的，可以支持我们在冬天的竞争。"

任正非指出，由于市场和产品已经发生了结构上的大改变，现在有一些人员已经不能适应这种改变了。"我们要把一些人裁掉，换一批人。因此每一个员工都要调整自己，尽快适应公司的发展，使自己跟上公司的步伐，不被淘汰。"

对于排在末位的员工，对于不能吃苦受累的员工，任正非的态度非常坚决：裁掉走人。"排在后面的还是要请他走的。在上海办事处时，上海的用户服务主任跟我说，他们的人多为独生子女，挺娇气的。我说独生子女回去找你妈妈去，我们送你上火车，再给你买张火车票，回去找你妈去，我不是你爹也不是你妈。各位，只要你怕苦怕累，就裁掉你，就走人。"

对于"老资格"的干部，任正非同样实施着严格的淘汰制度，他说："我们非常多的高级干部都在说空话，说话都不落到实处，'上有好者，下必甚焉'，因此产生了更大一批说大话、空话的干部。现在我们就开始考核这些说大话、空话的干部，实践这把尺子，一定能让他们扎扎实实干下去，我相信我们的淘汰机制一定能建立起来。"

在任正非看来，末位淘汰制度有利于干部队伍建设，可以让员工更有效地监督领导干部，使领导干部有压力，更好地运用权力，使清廉而有能力的干部得到应有的晋升。华为实行干部末位淘汰制，其目的也是在干部中引进竞争的机制，增强干部的危机意识。

虽然有些人认为华为的末位淘汰机制过于残酷，使员工缺乏安全感，也不符合人性化的管理思想。但任正非认为，实行末位淘汰还是有好处的，是利大于弊的。因为实行末位淘汰走掉一些落后的员工也有利于保护优秀的员工。

美国通用电器公司前总裁杰克·韦尔奇是末位淘汰制应用者的学习典范。作为"世界第一CEO"，杰克·韦尔奇给公司领导者传授的用人秘诀是他自创的"活力曲线"：一个组织中，必有20%的人是最好的，70%的人是中间状态的，10%的人是最差的。这是一个动态的曲线，一个合格的领导者，必须随时掌握那20%和10%里边的人的姓名和职位，以便做出准确的奖惩措施。任正非非常认同韦尔奇的"活力曲线"，他说："有人问，末位淘汰制实行到什么时候为止？借用GE的一句话来说是，末位淘汰是永不停止的，只有淘汰不优秀的员工，才能把整个组织激活。GE活了100多年的长寿秘诀就是'活力曲线'，活力曲线其实就是一条强制淘汰曲线，用韦尔奇的话讲，活力曲线能够使一个大公司时刻保持着小公司的活力。GE活到今天得益于这个方法，我们公司在这个问题上也不是一个三五年的短期行为。但我们也不会急于草草率率对人不负责任地评价，这个事要耐着性子做。"

海尔的 10/10 淘汰制度

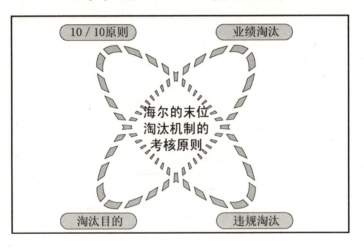

海尔的为使企业保持"永远创业"的活力，必须使领导干部具有压力和动力，海尔的每一位中层干部的职位都不是固定的，"无功就是过"，工作不力就被淘汰下来。海尔的末位淘汰机制的考核原则主要是：

A：10/10 原则：排名前 10% 是示范终端，予以表彰；后 10% 是问题终端，予以警示。

B：业绩淘汰：业绩考核排序连续 3 个月在后 10% 的人员要淘汰。

C：违规淘汰：违反企业或国家规定要淘汰。

D：淘汰目的：优胜劣汰，不断提高员工尤其是领导者的素质。

在海尔，排名在前 10% 的员工会被奖励、升职，排名在后 10% 的员工会被降级或免职，如果连续 3 次考核都排名在后 10%，那就要辞职或者转岗。这就是海尔的"10/10 淘汰制度"。这种貌似"不留情面"的管理机制旨在充分激发每个人的潜在能力，让每个人每天都能感到来自企业内部和市场的竞争压力，又能够将压力转换成竞争的动力。

至于企业为什么要实行末位淘汰，有这么几个原因：

一是公司必须要有一个员工代谢的出口。通过末位淘汰，不断地去芜存菁，消除公司发展过程中的沉淀，引进公司需要的优秀人才，持续提高公司整体人力资源素质。

二是为公司提供发展动力，用压力压出动力。长期无压力的环境易滋生人的惰性，使人失去奋发的激情和意愿，导致个人的发展跟不上企业的发展速度。而对员工来说，末位淘汰制度就像赶鸭子，如果跑到最后就要被竹竿敲到，所以要努力跑到前面去。

三是末位淘汰作为绩效管理工作的一个强制手段，迫使各级领导干部向下属传递明确的绩效信息，使下属认清自己在公司中的位置和责任，从而不断地提高绩效。同时，通过不断的末位淘汰，可以给各级干部一个学习管理和进行管理的工具，让管理干部"学着当领导"。[1]

在海尔，不存在"没有功劳也有苦劳"的说法，无功便是过。可以说，在一定时期一定范围内，按一定比例实行定额淘汰，是海尔内部以竞争保持活力的一大法宝。海尔集团总裁杨绵绵说："在海尔，没有吹吹拍拍、拉势力范围、搞小圈子的现象。管事凭效果，管人凭考核。大家瞄准一个方向，共同努力，产生的合力就非常大。"

---

[1] 袁政林．浅议企业末位淘汰制度．中华民居，2011.10

"能者上，劣者下"是海尔集团内部大家都认可的升迁原则，由于没有完成既定业绩目标或者业绩考核排名靠后而被免职，这在海尔集团历史上并不鲜见。2009年，海尔集团一口气对6位副总裁免除职位。海尔集团之所以敢一下子免除这么多副总裁的职位，是因为其内部人才济济，具有成熟的组织、企业文化等。而其他企业能否效仿海尔集团大刀阔斧地进行人事变动，就一定要根据自身的人才储备、组织成熟程度等实际情况来定。①

10/10淘汰制度并不仅仅适用于年度考核，还适用于月度和季度考核。这种考核制度对于积极向上、努力工作的员工来说，是没有意义的；只有那些不求上进、懒惰的员工才会害怕这种考核制度。考核不是一个负担，只会促使员工提升自己的能力。

在海尔，员工淘汰的种类如下：

1. 对中高级管理人员，淘汰分为以下三种：

a. 整改：业绩考核较差，但是本人能够意识到自己的问题，并已经找出应对的措施开始执行，初步见到一定的效果，给予整改处理；定出整改目标及整改期限，到期后进行验收，合格解除整改，不合格直接淘汰。

b. 降职：业绩考核较差，本人也能够意识到自己的问题，但没有找出应对的措施，给予降职处理。

c. 撤职：业绩考核较差，但本人不能够意识到自己的问题，直接给予撤职处理。

2. 对一般管理人员的淘汰，原则上淘汰后只能参加工人岗位的竞聘。

---

① 袁政林.浅议企业末位淘汰制度.中华民居，2011.10

阿里巴巴的末位淘汰

在阿里巴巴，马云将所有的员工分成了三种类型：有业绩没团队合作精神的，被定义为"野狗"；和事佬、老好人，没有业绩的，被定义为"小白兔"；有业绩也有团队精神的，是"猎犬"。

马云认为，在阿里巴巴，20%是明星员工，70%是普通的员工，10%是"野狗"和"小白兔"。

马云始终认为企业最值钱的是人才，但为了保持企业的竞争力和一支优秀的员工队伍，阿里巴巴坚持实行"末位淘汰"制，将后10%的员工淘汰，因为我们不淘汰他们，市场和股东就会淘汰我们。

在马云的思维里，对于"野狗"，无论其业绩多好，都要坚决清除；"小白兔"会被逐渐淘汰掉；只有"猎犬"才是阿里巴巴需要的。

在阿里巴巴公司的平时考核中，业绩很好，价值观特别差，也就是，每年销售可以卖得特别高，但是他根本不讲究团队精神，不讲究质量服务。这些人马云称之为"野狗"的，杀！"我们毫不手软，杀掉他，因为这些人对团队造成的伤害是非常大的。"

当然，对那些价值观很好，人特别热情，特别善良，特别友好，但就是业绩永远好不起来的，马云称之为"小白兔"的人，也要杀。"毕竟我们是公司，不是救济中心。不过，'小白兔'在离开公司3个月后，还是有机会再进阿里巴巴，只要他能把业绩搞上去，而'野狗'就没有这个机会了。"

阿里巴巴每半年进行一次员工业绩评估。虽然有的员工工作很努力，也很出色，但评估排名最后，就得离开。马云认为，在两个人和两百人之间，只能选择对两个人残酷。

不只是对普通员工，马云对阿里巴巴公司的创办者十八罗汉也是同样的态度。马云也很严肃地告诫大家："虽然你是Founder，是股东，但公司也可以不聘请你；如果你业绩不佳，也不一定能在管理岗位上做下去。当然你可以享受投资回报。"

附录

华为核心价值观

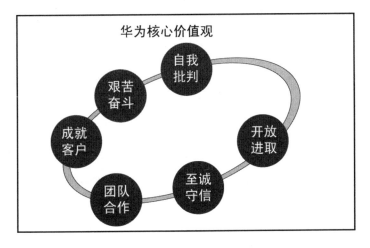

成就客户

　　为客户服务是华为存在的唯一理由，客户需求是华为发展的原动力。我们坚持以客户为中心，快速响应客户需求，持续为客户创造长期价值进而成就客户。为客户提供有效服务，是我们工作的方向和价值评价的标尺，成就客户就是成就我们自己。

艰苦奋斗

　　我们没有任何稀缺的资源可以依赖，唯有艰苦奋斗才能赢得客户的尊重与信赖。奋斗体现在为客户创造价值的任何微小活动中，以及在劳动的准备过程中为充实提高自己而做的努力。我们坚持以奋斗者为本，使奋斗者得到合理的回报。

自我批判

自我批判的目的是不断进步，不断改进，而不是自我否定。只有坚持自我批判，才能倾听、扬弃和持续超越，才能更容易尊重他人和与他人合作，实现客户、公司、团队和个人的共同发展。

开放进取

为了更好地满足客户需求，我们积极进取、勇于开拓，坚持开放与创新。任何先进的技术、产品、解决方案和业务管理，只有转化为商业成功才能产生价值。我们坚持客户需求导向，并围绕客户需求持续创新。

至诚守信

我们只有内心坦荡诚恳，才能言出必行，信守承诺。诚信是我们最重要的无形资产，华为坚持以诚信赢得客户。

团队合作

胜则举杯相庆，败则拼死相救。团队合作不仅是跨文化的群体协作精神，也是打破部门墙、提升流程效率的有力保障。

第六章

华为的营销执行力

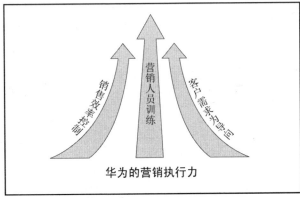

销售效率控制　营销人员训练　客户需求对应

华为的营销执行力

HUAWEI DE
GAOXIAO ZHIXINGLI

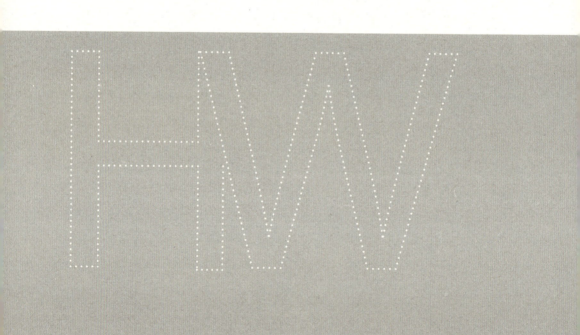

第一节　销售效率控制

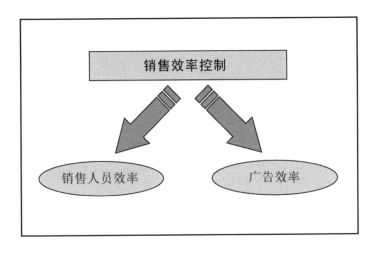

　　"酒香不怕巷子深"的时代早已过去，企业研制的产品质量再好、科技含量再高，如果没有有效的市场营销，产品照样无法有更大的突破。像华为这样一个机构庞大、人员众多的企业，如果没有有效的管理来保证各部门的办事效率，那么将会造成极大的资源浪费。因此，华为公司从高层开始，对效率的控制就极为严格，并且还在市场销售方面做了大量的工作，力求通过各方面效率和执行力的提升，达到最终的持续发展。

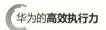

销售人员效率

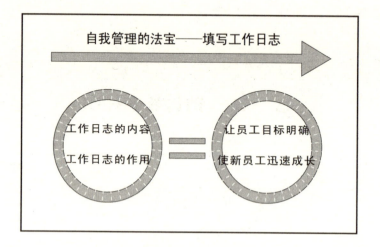

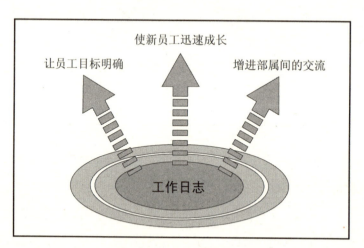

任何时候，销售人员都是一线市场最核心的要素，只有销售人员在销售中的成功率提高，产品的市场占有率才会加大。华为要求各地区销售经理要定期记录本地区内销售人员的几项关键因素，这些因素包括：每个销

售人员每天平均的销售访问次数，每次会晤的平均访问时间、平均收益、平均成本，每百次销售访问而订购的百分比，销售成本对总销售额的百分比等等。把这些数据进行对比，帮助销售人员找出制约其提高业务量的所在，制定相应措施提高效率。

华为的销售人员除了在培训时打下了扎实的业务功底以外，还有一大提高工作效率、实现自我管理的法宝，即填写工作日志。

（1）工作日志的内容

和技术开发的行政人员每半小时填写一次不同，市场部的销售人员是每天工作结束前填写一次工作日志，在工作日志中必须详细记录当天的目标是什么，完成的情况如何，如果完成得顺利，有什么心得体会；如果没有完成既定目标，要仔细分析，找出原因等等。虽然工作日志在一定程度上加大了员工的工作量，但所起的作用非常巨大。

（2）工作日志的作用

看似和流水账没什么区别的工作日志，其实正是销售人员实行自我管理、自我约束的最有效的方式。许多时候，华为的销售人员能够在不利的情况下扭转局面，靠的就是工作日志中的经验的积累。

☆ 让员工目标明确

工作日志实质上是将员工的工作目标细化、具体化，将一个长远的目标细化到了每一天、每一个工作阶段，甚至是每个小时，明确每天、每个工作阶段的工作任务。填写工作日志会使工作更有针对性、目标更明确，利于员工加强自我管理。

例如 2003 年 7 月在华为国际营销部率先推行的《产品人员工作日志管理规定》，旨在引导员工在拜访客户之前先做一个全面认真的准备，通

过记录工作日志，对拜访的整个过程进行有针对性的策划、落实和总结；明确自己下一步的目标是什么，实现这个目标需要哪些准备工作等。员工每天下班之前记录下当天采用的工作方法以及工作的结果，很好地形成自我管理、自我激励。

☆ 使新员工迅速成长

华为的销售人员大部分都是刚出校门没多久的大学生，基本没有什么销售经验，而通过写工作日志，很多人可以从中一目了然地看到自己当天的工作是否顺利完成，如果没有，是什么原因导致的；完成了，但却非常吃力，而且还存在不少隐患，那么又是由于存在哪方面的不足和问题；然后有针对性地找出解决的办法。这种做法，能使新员工很快地融入市场，迅速地获得提高。华为能有如此高的市场占有率，很大程度归功于员工工作日志中积累的宝贵经验。因为有目的的工作总结对于经验的积累具有积极的意义。

☆ 增进部属间的交流

在华为，工作日志还是领导与员工交流的一个重要工具。后方的主管领导可以通过工作日志随时了解市场第一线员工的工作状态，评估工作成效。透过工作日志，领导还可以清晰地看到员工的成长轨迹，在员工欠缺的方面给予具体的帮助和指导。

从以上不难看出，华为的营销铁军之所以在开拓市场方面比很多企业的销售人员要更具实力，很重要的一点就是他们能够坚持不懈地对自己的每一步做出正确的规划和总结，吸取经验教训，不断地取得进步。

广告效率

虽然华为到目前为止除了在专业性的刊物上进行宣传以外，几乎拒绝任何形式的广告，但是不可否认，在华为转轨走向国际化的发展道路之后，越来越体会到企业品牌的重要性，因此在对待广告的态度上也有了一定的转变。华为非常注重每一个广告对企业的影响，以及是否达到在一定投入的基础上获得最大收益。

华为每投资一个广告，宣传部都会做以下的统计：每一媒体接触每千名购买者所花费的广告成本，顾客对不同媒体工具注意、联想和阅读的百分比，顾客对广告内容和效果的意见，广告前后对产品态度的衡量，受广告刺激而引起的询问次数等等。

根据收集到的数据，宣传部门会有计划地改进广告投资方式，提高效率。改进方式包括：对产品进行更加有效的定位，确定一个近期内的广告目标，利用电脑的程序测算来指导广告媒体的选择，寻找较佳的媒体，以及进行广告后效果测定等。

第二节　营销人员训练

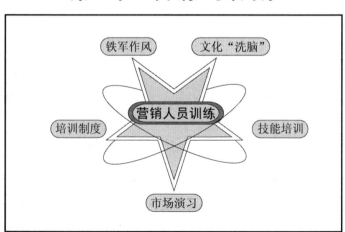

和很多企业更愿意去社会上招聘现成的人才来用不同，华为认为自己培养出来的人才，特别是营销人才，会具有忠诚度高、文化认同感强、执行力强等特点，在今后的工作中会给企业带来更大的价值，而且，这个价值将远大于当初用于培训的费用。因此，华为专门花大力气去自己培训营销人才，提高营销人员的执行力。

一、培训制度

新员工在华为接受为期6～12个月的培训已经成为华为的一种传统。因为培训是业务员掌握技能的手段，培训是业务员胜任营销工作的必须，而不是在新员工入司出现问题后的救火。华为很多的市场销售人员都不是通信专业的毕业生，但即使是文史哲专业的毕业生在经过了华为的系统培训之后，也能把华为的产品性能了解得一清二楚，究其原因，主要就是华为愿意花一年的时间，提供专门的培训岗位和培训师，对刚进企业的营销人员进行非常有计划的系统化培训。在一年里，硬是把一个对通信设备一窍不通的文科生培养成开口就是"路由"、"交换"等名词的"华为通"。

在华为的培训中，凡是和营销沾边的内容，几乎都有涉及，华为培训的要求就是每一个营销人员都要从最基础的《通信原理》学起，去生产车间跟工人师傅拧一颗颗的螺丝钉，去服务部门学习放线，去深圳街头贩卖小商品。经过了这样的千锤百炼，接受了无数失败的教训，在这种培训制度下走出的华为营销人员，一走向市场，自然就有着很强的执行能力。

在很多学员眼中，培训制度中最苛刻的规定莫过于对培训考核的要求了。华为的培训制度规定对新员工培训的效果必须经过严格的考核和评估，而且公司的高层十分重视这些考核和评估的结果。

每项培训结束后华为公司都会，都设置严格的任职资格考试，只有通过所有考试的业务人员才会被录用。另外，培训后进行的考核与评估并不是仅仅决定销售人员是否具有上岗资格，考核的结果还将被纳入组织考评体系，与员工以后的晋升、加薪相挂钩。这样在培训中对员工设置重重障碍的目的只有一个：就是激励每一个员工在培训的全过程中都不能有丝毫的懈怠，每一个员工都应该通过培训，切实地获得提高和进步。

总的来说，华为的培训制度就是要求员工必须完成以下四部分内容的学习：首先是培养吃苦耐劳精神的军事训练，其次是永不退缩、迎难而上的企业文化培训，再次是打牢业务功底的技能培训，最后才是系统的营销理论学习与真刀实枪的市场演习。

二、铁军作风

"军事化管理改变了商业思维。"世界上最伟大的 CEO 杰克·韦尔奇曾这样描述军队管理与企业管理的关系。

曾任联想控股董事局主席的柳传志毕业于军事院校。1961 年至 1966年，5 年的西安军事电讯工程学院的求学经历，使得军人的高度的执行力文化也深深地烙在柳传志的心里。柳传志曾坦言："是军营塑造了我。"

柳传志把军人高度的执行力文化也带入联想。联想每年的预算都能基本完成，因为各个部门的负责人都很清楚：在联想不太提倡定一个比较高的目标，再努力去够一下。定预算的时候要把最坏的情况考虑清楚。

柳传志表示，这一点实际是在部队里面学的。军队的执行能力，融入了柳传志的血液中。

作为一个民营企业，之所以还会在新员工培训中增设军事训练并把其作为一个重点考核项目，华为的主要目的就是希望用高强度的军训来改变新员工以往懒散、自我的精神面貌。通过军事训练，员工不仅达到了强身健体的作用，而且从精神思想上得到了军人化的训练，有了一个军人关于令行禁止的执行力的理解和掌握。

大约从 1997 年开始，华为从应届大学生中招聘来的销售人员，报到后的第一件事就是立即进入为期一个月的全封闭式的军事训练。或许是因为总裁任正非本人就是军人出身的缘故，因而公司领导在对待新员工的军训工作时显得尤为严肃认真。

为配合军训工作，华为还专门设置了一个新员工培训大队，这个培训大队被分成了若干培训中队，中队又由若干小队组成；由包括副总裁在内的华为的高级干部亲自包干到各小队担任小队长，负责对这些新员工进行军训的教官严格按照正规部队的要求和训练标准对员工进行训练。培训期间新员工都是带薪的，奖金也照发。

华为聘请的军训教官全部来自纪律严明的中央警卫团、这些教官高度的责任心和对自己高标准的要求，深深影响着每个新员工，这种作风也在很大程度上激励着新员工今后在自己的工作岗位上，养成同样严谨而负责的工作作风。在这些教官的训练下，员工们逐渐丢弃了散漫、自我的习性，培养了一种不怕吃苦、在困难面前迎难而上的精神。而这些优秀的素质，对于一个风里来、雨里去的营销人员来说，都是必备的基本素质。

很多华为的销售人员在总结这段漫长的军事培训过程时，都认为有这么几个特点：苦、累、达标多。因为达标过程中还会淘汰不合格者，所以大家一点都不能因为是军事训练就不认真对待。华为的这种军事培训就如同高考冲刺阶段一般，据说这一段时间的考试次数远远超过了大学 4 年的总和。凡是在训练过程中遭到淘汰的员工，都将退回起点重新开始训练，经过几轮筛选幸存的员工才能正式进入公司。很多学员对这种痛苦的煎熬铭记终生，但同时这也成为他们日后值得骄傲的资本，并受用一生。

经过长期坚持的军事化训练，走向一线市场的华为销售人员个个纪律严明，高度自觉。华为不止一次在深圳体育馆召开长达 4 个小时的全体员工大会，但在整个会议进行期间，从没有一个人的呼机或手机响过。大会结束后，会场上也是干干净净的，没有留下哪怕是一张纸片的垃圾。

三、文化"洗脑"

企业要对员工不断地灌输企业价值观，以此培养员工之间共同做事的行为规范、学习习惯，能够自觉地按照惯例工作，从而形成良好的、融洽的工作氛围，增强工作满意度和成就感，为企业建立学习型组织、确保业务的有效开展打下基础。

作为一家建立在深圳特区的公司来说，狼性是华为营销团队的精神，这种精神是抽象的，而且也是很容易被扭曲的，这就需要有一种保障机制，使得狼性可以正本清源地保留，这种保障机制就是华为的企业文化。

华为在对营销人员进行有关企业文化培训时到底会灌输哪些内容呢？

华为公司的"基本法"从 1997 年就已经开始酝酿，公司上下都在这上面花费了相当大的时间、精力和代价，并且专门请专家来做研究。为了确认"基本法"，任正非还让全体高层管理人员停下手中的工作一起对"基本法"进行讨论。

毫不夸张地说，"基本法"代表了华为的文化，也代表了公司的理念。因此，"新生"入职前开始接受的培训，自然也是从"基本法"开始。新员工首先进入一个大队接受企业文化以及相关的制度法规教育等综合性培训。这一环节主要是教授大家在做市场之前如何做人，让新员工知道华为公司的理念，学会华为公司的做人方式，让员工了解华为，接受并融入华为的价值观。这个环节往往是通过资深的市场销售人员和高层领导多次现身说法来对新员工进行教育，让员工成为一个正直、诚实的人，一个有能力成就大事业的人。

通过这样的培训，新进的员工完全抛弃自己原有的概念与模式，而注入华为的理念。任正非曾经在《致新员工书》中写道："实践改造了，也造就了一代华为人。进入公司一周以后，无论你是博士、硕士还是学士，或者是在原工作单位非常有地位的职工，以前的光环均消失了，完全凭实际能力与责任心重新对每个人进行定位，这样培养出来的营销人员，就会本能地相信自己的产品是最优秀的，而且对工作充满激情，愿意去最困难最偏远的地区凭借自己的力量和才干开发出新的市场，成就自己的事业。"

华为企业文化培训的一个主要目的就是改变员工原有的思维定势，用外界的话说就是给员工洗脑，让员工牢牢树立一个信念：相信华为的产品是最优秀的。在华为一线，销售人员通常以3年为限，也许还没等到3年，自己在推销产品之前就会不自觉地先对产品的优劣进行仔细地辨别，这样的销售人员就已经不适合再在这个岗位上继续工作了。3年的期限满了，即使有的员工还想接着干，公司的制度也是绝对不允许的。因为任正非要保证一线的人永远充满激情和活力。因此，在华为的销售人员当中，刚出校门的学生经常比有丰富人生经历和销售经验的人做得更成功。

在进行企业文化培训期间，除了人力资源部门的老总们会经常给学员们讲课外，其他所有部门的高层主管也几乎给学员讲课，并且分期分批，安排得非常合理。就连任正非本人都会经常亲自到培训班为学员们讲课。一些员工回忆说，听任正非讲课让人终生难忘，他的讲话很有煽动性，经常使学员们听得斗志高昂，不自觉地充满了奋发向上的活力。

例如有一次任正非在演讲时这样说道："市场营销是华为的先锋部队。在沙漠里，在高原上，在繁华的都市，在贫瘠的农村，等着我们的都是困难。我们的责任就是披荆斩棘，用生命、热血去铺筑华为的发展之路。胜则举杯相庆，败则拼死相救。狭路相逢勇者胜，烧不死的鸟就是凤凰！市场营销是华为最具机会的部门，已经有 2000 人的队伍。现在我们正在积极拓展海外市场，让我们去欧洲、进美洲、奋战在非洲！当我们的生命点燃成熊熊大火时，华为已经遍及全球。我可以骄傲地说：'我今生无怨无悔！'"就像一篇战斗檄文，令台下的年轻人热血沸腾，一批新员工就是这样毅然响应号召，去了当时最艰苦的边远市场。

此外，任正非还非常喜欢讲故事，并且善于通过身边一些细小的例子阐明深刻的人生道理。为及时了解员工的心态和动向，任正非每年都会和华为其他高层管理人员抽时间到基层，与员工们座谈，倾听他们的想法。

华为员工的培训教材全部都是公司内部的科研专家和业务骨干自己编写的。主要的教材有《华为新员工文化培训专题教材》、《优秀客户经理模型》等，通过对这些教材的学习，新员工可以更加了解华为，也能更容易从华为自身的例子中得到启发。

在很多人看来，华为公司在当前这种形势下还花费这么大精力要求员工去学习企业文化内容，既浪费时间，又浪费金钱，是"很不合时宜"的，甚至"已经严重落后了"。但是在华为，正是这种一直被看作是企业最重要的文化内涵的精神，激励着一批又一批的新员工奔赴商战的最前线，不

断地为华为赢得更多的市场份额而奋斗着，创新着。

四、技能培训

在高科技领域里，知识更新非常迅速，稍一放松，就会被其他竞争对手远远地甩在后面。华为深知学习技能的重要性，因此在对新员工的技能培训上从不吝啬。为了保证公司的长远发展，华为每年投在技能培训上的费用恐怕在整个行业都是无人能及的。

在技能培训阶段，华为的新员工每天早上8点起床，从深圳龙岗坂田公司总部乘公司的班车，赶到位于深圳市车公庙的培训基地。课程一直到晚上9：30才结束，回到宿舍一般都是十一二点了。可以说，除了学习，员工几乎没有任何时间做其他的事情。

在培训期间，如同大学里一样，上课、复习和试验操作，每培训完一个内容就马上考试。这种考试几乎每周都会有两三次，考试不合格者就要在该内容的课程上留级、补考。

之所以这样做，主要是因为IT行业是一个技术性很强、竞争很残酷的行业，华为能取得今天的成就，就是其始终保持着强烈的忧患意识，所以公司从一开始就注意培养员工的危机意识和竞争意识，希望员工也能真切地体会到，无论是外界还是公司内，都存在着危机和竞争。

三周严格残酷的技能培训赋予了员工一种吃苦耐劳的精神，同时也激励着新员工努力学习，力争上游。并且，华为的这种危机意识和竞争意识会一直贯穿在华为员工整个人生历程中。"只要在华为工作一天，就如同有一根鞭子在抽打着。"

在市场部员工首先进入的培训一营里，一开始教授的并不是销售技巧，而是产品介绍。即使是没有工科基础的文科生也不例外，都要接受从通信原理开始的产品技术培训，这样做主要是因为公司认为作为一个华为第一线的销售人员，要想向客户很好地推荐自己的产品，那么销售人员自身必须要对华为的产品有一个全面、整体的认识和了解。

对于这些刚踏上工作岗位的销售人员来说，没有几个人对华为的产品和技术有一个比较全面的了解，通过这个阶段的学习，可以有效地帮助他们了解华为产品与开发技术，产品的种类性能等。在这个培训环节，所有销售人员都要跟着一线车间的师傅从拧螺丝钉开始学习产品的组装和测试。要做到公司生产的单板模块一从生产线上下来，销售人员就能将单板根据订单要求在最短时间内装配成不同的产品，并进行包括误码率、功率等项目指标的性能测试，装订完毕，经过各项测试，全部合格，由技术主管签字后才能正式出厂。

对于很多文科类专业毕业的学员来说，这种技术含量相对较高的培训是很不容易消化甚至是很痛苦的。就是相当一部分理科出身的学生，对于这部分培训的很多内容以前也都是从没有接触过的。而且培训的强度和密度很大，最重要的是，培训之后还有严格的考试。要是没有近乎 100% 的投入，考试是很难过关的；每年大约都有 5% 左右的学员因为没有通过考试而被淘汰下来。所以这一阶段的培训也是最难熬的，很多员工都称其为"超级魔鬼训练"。

作为一个产品的销售人员，光知道技术是远远不够的，还要知道怎么与客户交流，并根据各种条件判断并抓住客户的想法，了解客户的需求。因此，已经接受了 3 个月军事训练和企业文化培训的新员工，就会被分派到真正的市场最前线去进行"用户服务"的培训。

在这个阶段，新员工会和用户服务工程师一起，在观看华为内部制作的或是国际知名企业的客户服务胶片和 VCD 的同时，听这些经验丰富的用户服务工程师们一个一个细节地给他们讲解怎样才能更好地完成客户服务的工作。

熟悉了全套用户服务的流程和基本了解怎样感受后，这些新的销售人员就会被派到客户服务展厅去，向真实的客户进行产品介绍和技术演示等等。新员工在展厅接待客户的表现也是用户服务培训过程中最重要的考核项目之一，所以每一个员工都要拿出 100% 的热情和所学的全部知识，努力做到让客户满意。

五、市场演习

在完成了上述四个阶段的培训之后，这些新员工才会被安排进行销售理论的学习和进行为期 3 个月的市场部见习。进行这种安排，主要是华为要求销售人员在各个方面都有一个扎实的基础，然后再进行营销技巧的具体学习，这样才能让销售人员在客户面前发挥得更加自如，而且这种培训方法也会使员工的整体素质有一个明显的提升。

华为的新员工专业都不尽相同，哪怕是新招聘的营销人员也不一定就是营销专业出身，所以很多人对于营销理论并没有一个系统的认识和学习，必须要对其进行营销理论的培训和市场演习。华为公司为新员工设置的营销理论知识培训主要包括品牌形象理论、消费者行为理论、整合营销传播、市场心理学、市场定位理论等。

光按照课本讲授理论知识而没有实践的运用和操作，那无疑是大学课程的翻版，也不是华为所要做的，华为注重的是实践。所以在系统的理论知识培训结束之后，华为会给新员工安排一次销售技能的实战演习，演习的主要内容就是让员工在深圳市区最繁华的路段以比平时高的价格兜售一些日常生活用品。说白了，就是让员工拿一些小商品像无证小贩一样到街上推销、叫卖。而且公司规定，员工卖出的商品的价格必须比市面上同类商品的价格高，就算没有市场也绝对不可以进行低价甩卖；至于销售方式，则根据个人的特点自行安排。

每天清晨，新员工先以小组为单位上报预计可以销售的数量，然后从公司预购同等数量的产品，之后带着产品分头出去销售，下午收工的时候来考核工作绩效，根据销售数量和成功率判断成绩。华为提供给员工的产品的价格往往与超市相比都偏高，员工先自己付款从公司购买这些商品，出售的时候具体卖多少钱公司不限制，但不允许低于从公司购入的价格，卖出的超过的钱属于员工自己。

为了增强实践的真实性和难度，公司要求新员工在销售的过程中不允许说出自己是华为的员工。不过，由于深圳市街头严格禁止无证小贩摆摊售卖，所以进行实战演习的员工经常被当作乱摆摊的无证小商贩，被市容管理人员抓住。时间长了，城管人员看见在街头兜售小商品的华为员工也就睁一只眼闭一只眼地过去，因为把华为的员工抓去了也是放，所以索性就不抓了。

不管是经过培训的销售人员自身，还是并不了解华为培训的普通客户，都有一个一致的感觉，就是从华为培训营出来的人都有一种脱胎换骨的感觉。通过培训，毕业生身上的书生气减少了很多，行动力和执行力非常强。

经过对这些刚从学校毕业、没有任何社会经验尤其是市场开拓经验的

新员工的培训，华为能够最大化地提升员工的执行力。而且公司也相信新员工的营销执行力，相信新员工有老员工所没有的激情，能够为公司带来丰厚的市场价值。华为的策略也使大批新员工在实践中得到了锻炼，越来越多的新员工在磨炼中成熟，成为经验丰富的老员工。这样，就使营销团队整体的执行力越来越强。

第三节　客户需求为导向

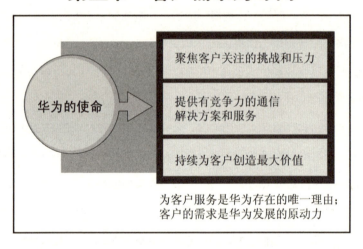

木子小姐是东京一家贸易公司的购票专员，她的工作就是专门负责为公司的客户购买车票。她经常给德国驻日本的一家大公司购买来往于东京和大阪之间的车票。这家公司的经理发现，当他从东京去大阪时，座位总在右窗口；从大阪回东京时，座位总在左边窗口。经理问木子小姐缘由，木子微笑着答道："我知道您喜欢富士山的景色，所以每次买票的时候，特意为您买到能看到景色的座位。"

　　德国的经理听到木子小姐的话，非常高兴，也很感动。他提升了对这家日本公司的贸易额，而且整整提升了 800 万美元。德国经理认为，这家公司的一个小职员，在这种微不足道的小事情上都能想得这样周到，让客户感到舒服和感动，那么和他们做生意一定很放心。

　　日本索尼公司的董事长盛田昭夫在乡间有一栋别墅，在其书房里有一台电脑是谁都不能碰的。难道这台电脑是个宝贝？这台电脑还真是索尼的无价之宝。

　　原来盛田昭夫就是用这台电脑来进行客户关系管理的，在这台电脑里，保存了他一千多个重要客户的有关信息。盛田昭夫去见客户前，一定要打开这台电脑，浏览里面有关这位客户的重要资料后，才胸有成竹地出门。

　　有一次，盛田昭夫请一个大客户吃饭，在席间盛田昭夫突然对这位客户说："恭喜恭喜，您母亲明天 70 大寿，我这里备了一份礼物作为寿礼，不成敬意！"这位客户颇为惊讶，并且对盛田昭夫非常感激。他们之间的合作自然会愉快而圆满地进行。[①]

　　台湾"经营之神"王永庆年轻时卖米的故事，展现出他对客户怀有高度责任感：主动淘捡米中杂物、按客户需要送米上门、记录客户家庭人数和购米量、刷洗米缸、重新摆放新旧大米……当时市场背景下，就算他不这么做，客户也会接受，他也能赚到钱，但他却做得更多更细致，做得更好。王永庆用对自己近乎于苛刻的要求去满足客户已经存在和潜在的需要，构筑起自己商业帝国的根基。

　　很多企业将赚钱当作其企业生存的目标。欧洲治理学大师弗洛蒙

---

① 　墨墨．把工作做到极致 做最好的执行者．北京理工大学出版社，2010.11

德·马里克在接受媒体采访时说道："赚钱当然没有错，但赚钱不是目的。企业必须赢利，但不是说企业存在就是为了利润。就像人必须吃饭，不代表人活着就是为了吃饭。企业存在的目的是创造和维护客户利益。有了满足的客户，就会有收益和利润。客户才是真正推动企业健康持续发展的根本因素，而不是股东或者股东利益。"

对于直接面对外部客户的岗位，客户说了算，但要对客户本身的价值进行评价；对于内部不直接服务外部客户的岗位，评价的基础是平台能力是否对外部客户产生价值。无论哪一种，我们的工作中心及评价机制要以客户为中心，对客户创造价值。过度内部满意度，会导致唯主管为中心的组织文化。

华为一直强调"以客户需求"为导向的核心价值观，为了强化这种观念，华为领导采用各种方式，可说费尽苦心。假如某位员工从小就立志当一个世界一流的原创性的科学家，20多年的学生生涯养成两耳不闻窗外事，一心只读科学书的习惯，只对科学技术感兴趣，其他事很难引起他的注意。现在要其聚焦客户，除非他自觉地以理性时时提醒自己，否则是办不到的。

"为客户服务是华为存在的唯一理由。"为鼓励华为各部门员工积极收集高价值客户需求，从2006年开始，华为战略与Marketing体系专门设立了"最有价值需求奖"，并将定期开展评选活动。

"最有价值需求"是在"华为需求承诺电子流"中，根据战略与Marketing文件《"最有价值需求奖"评选管理规定》所设定的评选标准，筛选出对华为产品、解决方案、业务运营、服务、商业模式等有最高参考价值的需求，对其提交者进行表彰，从而在全公司形成关注客户需求的良好氛围，并促进公司相关部门把握市场机会点，实现双赢。

2006 年，任正非在其文章《天道酬勤》中写道："由于华为人废寝忘食地工作，始终如一虔诚地对待客户，华为的市场开始有起色了，友商看不到华为这种坚持不懈的艰苦和辛劳，产生了一些误会和曲解，不能理解华为怎么会有这样的进步。还是当时一位比较了解实情的官员出来说了句公道话：'华为的市场人员一年内跑了 500 个县，而这段时间你们在做什么呢？'当时定格在人们脑海里的华为销售和服务人员的形象是：背着我们的机器，扛着投影仪和行囊，在偏僻的路途上不断地跋涉……"

"在《愚公移山》中，愚公整天挖山不止，还带着他的儿子、孙子不停地挖下去，终于感动了上帝，把挡在愚公家前的两座山搬走了。在我们心里面一直觉得这个故事也非常形象地描述了华为 18 年来，尤其是 20 世纪 90 年代初中期和海外市场拓展最困难时期的情形：是我们始终如一对待客户的虔诚和忘我精神，终于感动了'上帝'，感动了我们的客户！无论国内还是海外，客户让我们有了今天的一些市场，我们永远不要忘本，永远要以宗教般的虔诚对待我们的客户，这正是我们奋斗文化中的重要组成部分。"

可以说，做华为的客户是相当令人惬意的事情，因为华为的企业文化就是千方百计满足客户需求的文化。华为人自称，他们的使命就是：聚焦客户关注的挑战和压力，提供有竞争力的通信解决方案和服务，持续为客户创造最大价值。"为客户服务是华为存在的唯一理由；客户的需求是华为发展的原动力。"

电信运营商是华为的主要客户，因此任正非将"聚焦客户关注的挑战和压力，提供有竞争力的通信解决方案和服务，持续为客户创造最大价值"

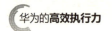

作为华为的使命，以获得客户的信赖和认可。而在此基础上，任正非希望通过华为的努力，为人们的沟通创造更多更便利的条件，将华为的企业使命提升到一个更高的高度，也就是华为的企业愿景。

233亿美元的销售额、46%的增速，面对全球金融危机，其他竞争对手的收入下滑，华为2008年仍交出了一张漂亮的成绩单，所有人就此产生了一个疑问：为什么？

华为的一位高管说：华为第一大原则就是以"客户需求为导向"，不会计较华为在短期内的得失，而其他企业更多以收入、利润等为导向。这种公司文化得到了客户的认可，也为华为赢得了更多的忠实客户和更长远的利益。

雄赳赳气昂昂 跨过太平洋

雄赳赳、气昂昂，跨过太平洋……当然还有大西洋和印度洋。是英雄儿女，要挺身而出，奔赴市场最需要的地方。哪怕那儿十分艰苦，工作十分困难，生活寂寞，远离亲人。为了祖国的繁荣昌盛，为了中华民族的振兴，也为了华为的发展与自己的幸福，要努力奋斗。要奋斗总会有牺牲，牺牲青春年华，亲情与温柔……不奋斗就什么都没有，先苦才能后甜。

"青山处处埋忠骨，何必马革裹尸还"，没有我们先辈的这种牺牲，就没有中华民族的今天。为了祖国的明天，为了摆脱一百多年来鸦片战争、八国联军入侵的屈辱，以及长期压在我们心里的阴云，我们要泪洒五洲，汗流欧美亚非拉。你们这一去，也许就是千万里，也许10年、8年，也许胸戴红花回家转。但我们不管你是否胸戴红花，我们会永远地想念你们，关心你们，信任你们，即使你们战败归来，我们仍美酒相迎，为你们梳理羽毛，为你们擦干汗和泪……你们为挽救公司，已付出了你们无愧无悔的青春年华，将青春永驻。

华为正面临着一种机会与危机。我们的机会是经历了10年奋斗，培养和造就了一支奋斗的队伍，有组织、有纪律的队伍，一支高素质、高境界和高度团结的队伍，许多年轻的干部正在职业化的进程中，陶冶自己，重塑自己。

他们不怕艰苦，勇于献身，努力学习，是我们事业的宝贵财富；我们经历了10年的积累，以客户化的解决方案为先导的产品体系有了较大的进步，有希望搏击世界舞台，在这个舞台上检验自己。只要勇于自我批判，敢于向自己开炮，不掩盖产品及管理上存在的问题，我们就有希望保持业界的先进地位，就有希望向世界提供服务。我们不尽快使这些产品覆盖全球，其实就是投资的浪费、机会的丧失。随着我们的管理逐步国际化，IPD、ISC、财务四统一、IT、任职资格、虚拟利润方法、述职报告制度等的推行，华为将面临内部组织越来越开放，允许越来越多的优秀人才加入我们的队伍。这些优秀人才，将一同与我们奔向战斗的前方，我们的队伍向太阳。

我们的危机是我们的队伍太年轻，而且又生长在我们顺利发展的时期，抗风险意识与驾驭危机的能力都较弱，经不起打击。但市场的规律，常常不完全可以预测，一个企业总不能永远常胜，华为总会遇风雨，风雨打湿小鸟的羽毛后，还能否飞起。总是在家门口争取市场，市场一旦饱和，将如何去面对。

我们没有像 Lucent（朗讯科技公司）等那样雄厚的基础研究。即使我们的产品暂时先进也是短暂的，不趁着短暂的领先，尽快抢占一些市场，加大投入来巩固和延长我们的先进，否则一点点领先的优势就会稍纵即逝，不努力，就会徒伤悲。我们应在该出击时就出击。一切优秀的儿女，都要英勇奋斗，决不屈服去争取胜利。

我们的游击作风还未褪尽，而国际化的管理风格尚未建立，员工的职业化水平还很低，我们还完全不具备在国际市场上驰骋的能力，我们的帆船一驶出大洋，就发现了问题。我们远不如 Lucent、Motorola、Alcatel、Nokia、Cisco、Ericsson 等那样有国际工作经验。我们在国外更应向竞争对手学习，把他们作为我们的老师。我们总不能等待没有问题才去进攻，而是要在海外市场的搏击中，熟悉市场、赢得市场，培养和造就干部队伍。我们现在还十分危险，完全不具备这种能力。若三至五年之内建立不起国际化的队伍，那么中国市场一旦饱和，我们将坐以待毙。今后，我们各部门选拔干部时，都将以适应国际化为标准，对那些不适应国际化的，要逐步下调职务。

我们正处在危机中，还有一项例证。就是处在危机中并不认识危机，前方浴血奋战，后方歌舞升平。机关不能以服务为宗旨，而是前方的阻力，使流程执行困难重重。当我们今天欢送将士奔赴前方时，我们要使后方全力为前方服务，不能实现这种服务的员工要下岗。

号角响起，战鼓擂动。前方没有鲜花，没有清泉……一切困难正等着我们去克服。

随着中国即将加入WTO，中国经济融入全球化的进程将加快，我们不仅允许外国投资者进入中国，中国企业也要走向世界，肩负起民族振兴的希望。

在这样的时代，一个企业需要有全球性的战略眼光才能发奋图强；一个民族需要汲取全球性的精髓才能繁荣昌盛；一个公司需要建立全球性的商业生态系统才能生生不息；一个员工需要具备四海为家的胸怀和本领才能收获出类拔萃的职业生涯。

所以，我们要选择在这样一个世纪交换的历史时刻，主动地迈出我们融合到世界主流的一步。这，无疑是义无反顾的一步，难道它不正承载着我们那要实现顾客梦想、成为世界一流设备供应商的使命和责任吗？难道它不正是对于我们的企业、我们的民族、我们的国家乃至我们个人，都将被证明是十分正确和富有意义的一步吗？

是的，我们正在创造历史、与文明同步！

你们背负着公司生死存亡的重任，希望寄托在你们身上。

（本文为任正非在欢送海外将士出征大会上的讲话）

第七章

华为的执行力文化

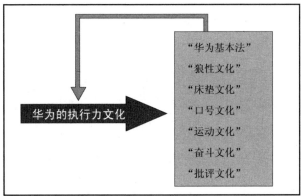

HUAWEI DE
GAOXIAO ZHIXINGLI

管理大师汤姆·彼得斯曾说："没有强大的企业文化，再高明的经营战略也无法成功。企业文化是企业生存的基础、发展的动力、行为的准则、成功的核心。"

美国通用电气公司前 CEO 杰克·韦尔奇认为，企业文化就是增强企业竞争力、提高执行力的最有效方法。一个企业要做到最优秀、最具竞争力，必须在企业文化上下功夫，塑造卓越的企业文化。

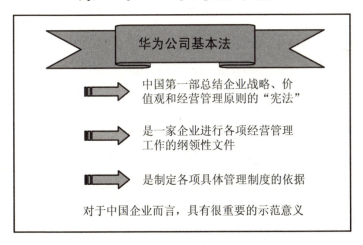

第一节　"华为基本法"

单纯靠一次次会议或是一个个偶然事件，不可能提升团队思维方式和行为方式，反而增加了团队的迷茫、迟疑和不安全感。企业需要有统一的价值尺度和标准，于是任正非发起了制定《华为公司基本法》的工程。任

正非期待通过《华为公司基本法》，把一个与时俱进的价值罗盘置于每位员工的心里，从而使老板与员工的思维方式和行为方式有一个共同的始发点，达成一定的心理默契，从而提升华为公司整体的执行力。

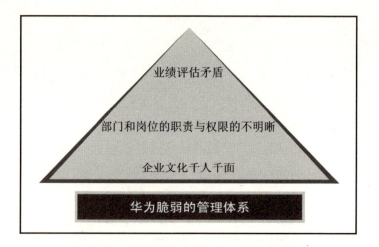

华为在业界是以注重制度和执行文化而著称的。1998年3月正式出台的《华为公司基本法》也许就是这一说法的最佳印证。谈到制定这部"基本法"的缘由，任正非说道："制定一个好的规则比不断批评员工的行为更有效，它能让大多数的员工努力地分担你的工作、压力和责任。"

在华为的发展史上，这部《华为公司基本法》具有非同一般的影响力。它是中国第一部总结企业战略、价值观和经营管理原则的"宪法"，是一家企业进行各项经营管理工作的纲领性文件，也是制定各项具体管理制度的依据。因此，该文本对于中国企业而言，具有很重要的示范意义。

华为开始思考现代管理思想和制度化的问题是有一定原因的。1994年、1995年，华为自主研制的C&C08数字程控交换机在市场上打开销路后，公司开始进入大规模的扩张时期。而这个时候，华为原有的异常脆弱的管理体系已经不能支撑公司的发展。

归结起来，主要有三个方面的原因：

1. 业绩评估矛盾

1995 年，华为开始大量招聘员工，公司规模不断膨胀。华为的员工从 1992 年的不足二百人，增加到七八百人。尤其是华为大面积进入农村市场，主要采取的是"人海战术"，导致销售人员急剧增加。随着华为网络的扩张，营销网络与人员的管理变得日益复杂，如何对销售人员的业绩进行有效的评价并及时激励，成为当时华为亟待解决的问题。

还有一个让任正非很是头痛的问题：每到月底，他就会收到下属大量的条子，为自己部门的员工申请涨工资，理由是他们干得不错。一开始任正非还能勉强应付，后来公司越来越大，条子也越来越多，根本批不过来，而且还浪费时间。更何况，涨与不涨，涨多还是涨少，都没有一个既定的标准，所以，任正非意识到，华为已经到了需要一套标准化理论体系来进行规范化管理的时候了。

2. 部门和岗位的职责与权限的不明晰

在 1995 年，华为还遇到了很多新问题。在这一年年初，华为紧跟当时潮流，在全公司范围内大规模推行 ISO9001 标准。但在重整后的业务流程体系中，各个部门和岗位的职责与权限如何定位成了一个大问题。

3. 企业文化千人千面

随着公司的发展，任正非逐渐发现一个问题，管理层和普通员工虽然

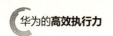

一直把华为企业文化这个词挂在嘴边，但华为的企业文化到底是什么，谁也解释不清。有人说是床垫文化，有人说是雷锋文化，还有人说是校园文化，但这些都不符合任正非对企业文化的观点。他认为华为应该拥有一个明确清晰的企业文化了。

在与中国人民大学的专家们反复交流之后，任正非决定委托他们为华为建立一套文化体系，并由此催生了《华为公司基本法》。任正非对专家们多次强调："如何将我们 10 年宝贵而痛苦的积累与探索，在吸收业界最佳的思想与方法后，再提升一步，成为指导我们前进的理论，以避免陷入经验主义，这是我们制定公司基本法的基本立场。"

基本法到底是什么样的？任正非心里也没底，但是他坚信一点：基本法不是一个简单的整理归纳，而是关于华为成功经验的系统思考和升华提炼，这需要具备一定深度的理论功底并广泛地参考借鉴业内一流企业的最佳实践经验。

华为这部六章共 103 条的企业内部规章，是迄今为止中国现代企业中最完备、最规范的一部"企业基本法"。其内容涵盖了企业发展战略、产品与技术政策、组织建立的原则、人力资源管理与开发，以及与之相适应的管理模式与管理制度，等等。

更难得的是，《华为公司基本法》蕴涵着很多在当时的中国企业界看来非常超前的眼光和智慧。比如，在讨论"价值的分配"时，任正非就非常希望能够从理论上对他独特的"全员持股"和"知识资本化"的做法加以明晰的论证。

1998 年 6 月，任正非给中国联通处级以上干部作了一次《华为公司基本法》解释的报告，其中有一段意味深长的话道出了他起草《华为公司基本法》的核心目的："一个企业怎样才能长治久安，这是古往今来最大的一个问题。我们十分关心并研究这个问题，也就是推动华为前进的主要动力是什么，怎么使这些动力长期稳定运行，而又不断地自我优化。"

"这个一同努力的源是企业的核心价值观，这些核心价值观要为接班人所认同，同时接班人要有自我批判的能力……美国通用电气公司前 CEO 韦尔奇也认为：长寿的大公司一是靠企业文化的传递，二是靠接班人的培养。"

2006 年，华为启动《华为公司基本法》的修改工程，最终新版的《华为公司基本法》将愿景重新规划为"丰富人们的沟通和生活"，其使命则是"聚焦客户关注的挑战和压力，提供有竞争力的通信解决方案和服务，持续为客户创造最大价值"。

从某种意义上讲，这部《华为公司基本法》就是任正非开始追寻利用制度建立起一个基业常青的企业，一个可以一直向其"世界级"目标迈进的企业的起点。

就此而言，《华为公司基本法》业已超出了企业文化的范畴，在更为宏观的层面上，它的意义在于：推动企业管理的职业化，继而培养职业化的员工，最终打通企业领袖与企业员工之间的管理语言，畅通沟通渠道，以保证企业战略和企业目标得到良好的执行。（《向华为学执行》）

华为有一个文化氛围，它是无形的，就像空气一样，每天必须得呼吸它。《华为公司基本法》的起草人之一彭剑锋说道："你不由自主进入华为创业的文化里面。效益文化，激情文化，再加上任正非的煽动性……他确实对华为人实现市场目标有很大的推动能力。""华为从一开始就比较注重文化，通过文化的力量使得员工能够自觉、自愿地去承担一些责任，去承担市场压力。在华为咨询那几年，把我们这些教授都改造过来，从懒人变成勤奋人了。我们过去都是九十点钟才起床，晃荡晃荡中午睡一觉，到了华为就没有觉睡了。""文化的力量让你不得不这样做，那些假积极的最后都变成真积极了。在人力资源管理上，依据企业不同阶段竞争的需要，它的整个待遇体系是向最优秀的人才去倾斜，去激励那些优秀的人，使这些人发挥出战斗力，这样能够影响一大片的人才。"

第二节 "狼性文化"

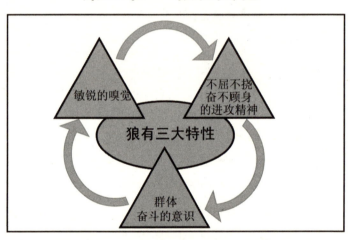

狼，是地球生态系统中一种拥有强悍智慧的种群。森林、草原、荒漠、雪地、山野……都曾是它们的领地，这也让人不禁联想起几年前风靡一时的《狼图腾》，里面描绘的草原狼机敏、狡黠、智慧，富有极强的组织性和战斗力。狼的形象深深吸引了人们，并由此记住了狼的精神：物竞天择、适者生存。本来弱肉强食就是自然界的规律，而在狼性中表现得尤为突出。

狼具有坚韧无畏、锲而不舍、顽强拼搏、强悍进取的精神，为了生存宁可去筋断骨，为了尊严宁可舍弃生命，不屈不挠、坚忍不拔，永远在打造着自己，使自己在自然界中趋于"完美"，这种精神是狼与生俱来的生存武器。

狼代表一种精神，为生存终身而战的精神，也正是这种精神使它成为自然界中生存能力最强、生命力最旺盛的物种之一。

有人把通信制造业的各类企业比作草原上的三种动物：跨国公司就像狮子，跨国公司在中国的合资企业就像豹子，而地道的中国本土企业就像土狼。如果这个比喻贴切的话，那华为就是最杰出的土狼。

狼是一种让人畏惧、讨厌的动物，极少有人愿意与狼相提并论。同时，人对狼又是不公平的，总让狼扮演故事中不光彩的角色，人渐渐从心中排斥狼，而狼的优点却被抹杀了。然而，华为却自诩为狼。华为能够透过世人的眼光看到狼的闪光个性，已不容易，还把这种个性炉火纯青地运用到企业的经营管理和执行中，更让人佩服。

直到今天，华为人尤其是华为的销售人员给人们的印象仍然是一群红了眼的"狼"。他们不仅极具攻击性，个个骁勇善战，目标一致，执行力强，不达目的誓不罢休；而且往往以一个团队整体出击，纪律严明。这种特性成为华为品牌推广体系的强力支撑，使得华为能在短时间内站稳脚跟，并以令人吃惊的速度成长为中国通信行业的领袖企业。

任正非带领着华为狼群，与市场中的豹子、狮子拼杀，将企业的狼性表现得淋漓尽致，屡建奇功。在业界，华为闻名遐迩。在跨国公司占尽优势的情况下，华为依然不断成长，因为它更有成功的欲望，更执著地追求发展，采用市场中尽可能有效的战术，常常以集体战的发展，斗过了强大若干倍的对手，找到了生存之法。

任正非军人出身，其带有浓厚军事色彩并且强调斗争性的个人色彩深深地影响着华为，他曾经对土狼时代的华为精神作了经典概括。他说："发展中的企业犹如一只狼。狼有三大特性，一是敏锐的嗅觉，二是不屈不挠、奋不顾身的进攻精神，三是群体奋斗的意识。企业要扩张，必须要具备狼的这三个特性。"

狼性精神一直存在于华为早期创业阶段，只是没有被提炼出来。在华为内部，任正非对狼性精神第一次，也是唯一一次系统阐述，是 20 世纪 90 年代初期任正非与美国某著名咨询公司女高管的一次会谈。

"那天整个是谈动物。任总说跨国公司是大象，华为是老鼠。华为打不过大象，但是要有狼的精神，要有敏锐的嗅觉、强烈的竞争意识、团队合作和牺牲精神。"《华为公司基本法》的起草者之一吴春波回忆说。

任正非在《华为公司基本法》第二条中提出了"企业就是要发展一批狼"的观点。事实上，这也是任正非对华为过去 10 年之所以能获得快速发展的一个总结，即重视人才，重用具有"狼"性的人才。

连华为的国际对手也不得不承认，华为人的进攻性的狼性精神是最可怕的，他们不惜代价地穷追猛打，以其不规范的一些方式获取竞争优势。

这种可怕之处在于：华为销售人员为了争取客户，甚至于不惜一切代价。只要是客户喜欢的，华为的销售人员都会竭尽所能地满足他们。客户喜欢运动，马上安排最好的运动场所和专职教练；客户喜欢收藏，就是挖地三尺也要找到一些极具收藏价值的古董。

在 1997 年一个会议上，任正非特别称道"狼"和"狈"的攻击组合。在任正非讲完之后，华为市场部就提出一个"狼狈计划"——狼狈一片，一线的是狼，其他职工是狈，提供相应的资源，一线和二线紧密配合。如今，虽然那项计划已消散，但"狼性"却作为华为精神延续下来。

1996 年，华为公司与美国著名的 HAY 咨询公司合作实施人力资源管理变革。当 HAY 公司的专家问及任正非之前是如何发现企业优秀员工的时，任正非说道：我永远都不知道谁是优秀员工，就像我不知道在茫茫荒原上到底谁是领头狼一样。

虽然不知道谁会是领头狼，但是任正非的用人观很明确，就是要选拔具有"狼性"的人才。而为了培养具有"狼性"特质的人才，任正非提议华为要构筑一个宽松的环境，让大家去努力奋斗，这样，当新机会出现时，自然会有一批领袖站出来去争夺市场先机。

那时，任正非宏大的理想与煽动性的语录口号、运动式的内部交流方式，成为艰难环境中华为这个土狼群体拓展生存空间最有效的方式。华为市场部人员具有可怕的进攻性，由于任正非一直提倡的拼搏精神和以身作则，华为市场人员为了合同可以不回家过年，老婆孩子都顾及不上，研发人员一有任务就立即顶上去通宵不眠。这种在后来者看来属于非良性竞争的市场手段，却是华为得以快速成长起来的法宝。

在任正非定义的"狼性"理念中，"群体奋斗"是他非常看重的一个内容。事实上从 1998 年开始，任正非就十分重视对集体力量的发展。他提倡的是一种"胜则举杯相庆，败则拼死相救"的互助、合作精神。

狼之所以能够在比自己凶猛强壮的动物面前获得最终胜利，原因只有一个：团结。即使再强大的动物恐怕也很难招架一群早已将生死置之度外的狼群的攻击。可以说，华为团队精神的核心就是互助。

华为在接待客户时的表现就很好地体现了它的这种"群狼"团队精神。客户关系在华为被总结为"一五一工程"，即一支队伍、五个手段、一个

资料库，其中五个手段是"参观公司、参观样板店、现场会、技术交流、管理和经营研究"。在华为，对客户的服务是一个系统，几乎所有的部门都必须参与进来。在这种团队精神的带动下，华为每次都能又快又好地完成一整套客户服务流程。

不难看出，华为的"狼性"并不是天生的，而是在后来的生存与奋斗过程中逐渐积累形成的。任正非坚信马克思的一条真理：从来就没有什么救世主，也没有神仙皇帝，企业要富强，必须靠自己，靠发展一群执行力极强、战无不胜、攻无不克的"华为狼"。

第三节 "床垫文化"

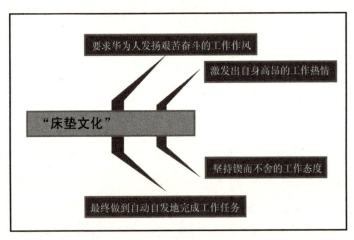

华为的初创期，在没有资源与条件的情况下，华为人秉承20世纪60年代"两弹一星"的艰苦奋斗精神，以勤补拙，刻苦攻关，夜以继日地钻研技术方案。1991年9月，50多名华为人在宝安县蚝业村工业大厦三楼

开始了创业之路。"一层楼既是生产车间、库房，又是厨房和卧室。十几张床挨着墙边排开，床不够，用泡沫板上加床垫代替。无论是领导还是普通员工，累了睡一会，醒来接着干。"一位老华为人这样回忆当初的情况。

华为几乎每个研发人员都有一张床垫，卷放在铁柜的底层或办公桌的下面。午休时，席地而卧；晚上加班，盈月不回宿舍，就这一张床垫，累了睡，醒了爬起来再干。一张床垫半个家，华为人携着这张床垫，内心充满激情地走过了创业的艰辛之路。

任正非说道："创业初期，我们的研发部从五六个开发人员开始，在没有资源、没有条件的情况下，秉承 60 年代'两弹一星'艰苦奋斗的精神，以忘我工作、拼搏奉献的老一辈科技工作者为榜样，大家以勤补拙，刻苦攻关，夜以继日地钻研技术方案，开发、验证、测试产品设备，没有假日和周末，更没有白天和夜晚，累了就在垫子上睡一觉，醒来接着干，这就是华为'床垫文化'的起源。虽然今天垫子已只是用来午休，但创业初期形成的'床垫文化'记载的老一代华为人的奋斗和拼搏，是我们需要传承的宝贵的精神财富。"

"床垫文化"意味着华为人努力把智力发挥到最大值，它是华为精神的一个重要象征。"床垫文化"要求华为人发扬艰苦奋斗的工作作风，激发出自身高昂的工作热情，坚持锲而不舍的工作态度，最终做到自动自发地完成工作任务。

在这样的"床垫文化"的鼓励下，华为人创造了许多的辉煌。从 1987 年成立至今，华为已经成为中国电信市场的主要供应商之一，并成功进入全球电信市场。华为是全球少数实现 3GWCDMA 商用的厂商，它已经全面掌握 WCDMA 核心技术，并率先在阿联酋、毛里求斯，以及中国香港等国家和地区获得成功商用，跻身 WCDMA 第一阵营，成为全球少数提供全套商用系统的厂商之一。"床垫文化"促进了华为的超常发展，而华为凭借这种超常发展，成为中国企业创业、创新和国际化的标杆。

任正非说道："当我们走上这条路，没有退路可走时，我们付出了高昂的代价，我们的高层领导为此牺牲了健康。后来的人也仍不断在消磨自己的生命，目的是为了达到业界最佳。沙特阿拉伯商务大臣来参观时，发现我们办公室柜子上都是床垫，然后把他的所有随员都带进去听我们解释这床垫是干什么用的，他认为一个国家要富裕起来就要有奋斗精神。奋斗需一代代的坚持不懈。"

第四节 "口号文化"

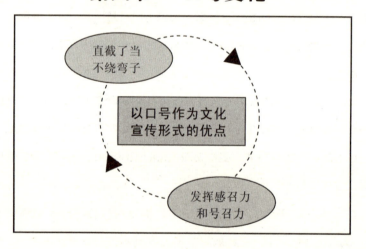

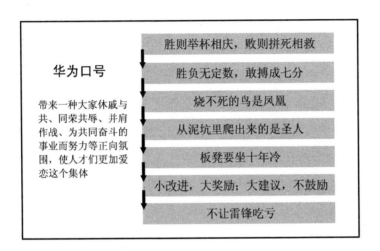

口号之所以长盛不衰，最主要的原因就在于它直截了当，不绕弯子。口号这种颇具感召力和号召力的特殊的话语形式往往浓缩了一个时代的主流信息，概括了一个社会的鲜明主题，积淀和充斥着情绪、欲望、主张、观念乃至信仰。客观地讲，口号这种话语形式运用得当往往可以充分发挥其感召力和号召力，成为凝聚民心的话语"磁场"。

曾有一部电视连续剧叫《士兵突击》，看过这部电视剧的读者一定知道，钢七连有句口号叫"不抛弃，不放弃"。这句口号就是钢七连所有人员所共同遵循的价值取向和行为准则，它不是钢七连连长和指导员的价值观，也不是钢七连排长的价值观，更不是钢七连班长的价值观，而是钢七连从连长、指导员到排长班长再到一名普通士兵的共同价值观和行为准则。许三多在一次考核时，当他可以以第一名的成绩到达终点时，却发现他的战友负伤了，他为了不使他的战友掉队，放弃了最后冲刺，回过头将其战友搀扶起来一同到达终点，当时在场的所有考官都为许三多这一行为所感动，同时也给许三多顺利通过考核画上了一个圆满的句号。这说明，钢七连"不抛弃，不放弃"的口号已经深深地注入许三多的灵魂，成为许三多价值观和行为准则的有机组成部分。

"没有任何借口"是美国西点军校建校 200 年来奉行的最重要的行为准则。西点军校最出名的口号就是："每一位学员要想尽办法去完成任何一项任务，而不是为没有完成任务去寻找借口。"其核心就是没有任何借口——提升执行力！而在进入 20 世纪之后，这一口号被西点人不断发扬光大，不断赋予新的内涵。

一句思想性和艺术性很强的口号，常常会使得千万人受到鼓舞和鞭策。日本的一家企业为了彻底消灭浪费现象，提出了"把干毛巾再拧出一把水来！"的口号。这个既新颖深刻又形象具体的口号很快就被每一个员工所接受，收到了巨大的实践效果。（《执行术》）

华为在发展过程中形成了丰富的文化体系，为了鼓励员工，也喊出了各种各样的口号。"胜则举杯相庆,败则拼死相救"就是其中之一。前不久，任正非还就此专门做过阐述：我们是小公司时，提出了"胜则举杯相庆，败则拼死相救"的口号，那时大多出于精神鼓舞的目的。而我们此时继续强化这个口号的目的，是希望打破流程中的部门墙。现在行政管理团队的权力太大，而流程 Owner 的权力太小，致使一个一个部门墙，越积越厚。这样无形中增加了成本，使竞争力削弱。我们要用制度来保证这种精神传承，要让为全流程做出贡献的人，按贡献分享到成果。

"'胜则举杯相庆，败则拼死相救'——这句话来源于曾国藩的湘军，曾国藩带领的湖湘子弟，有乡土关系，也有血缘相连，战场上同呼吸、共命运，喊出了这句口号。而太平军相互倾轧，兄弟相残。华为市场部门在 90 年代初喊出这个口号，提倡团队合作，华为人出去是打群架的。"

任正非对"胜则举杯相庆，败则拼死相救"的解释与时俱进，他更多地强调了这句口号所包含的团队精神，而有选择地忽略了其中蕴含的进取心和攻击性。这句话最初主要在市场部门流行，是战斗在第一线的销售人员的战斗号角。正是在这句口号的导引下，销售人员忠实地执行着企业的市场策略，以客户为导向，以价格为利器，在市场上开疆拓土，为华为打下了一片广阔的疆土。

早期，客户关系和人际关系是直接画等号的。为了拉拢客户，赢得市场，华为喊出"为了销售，一切都不可耻"的口号。很多华为市场人员不惜放低姿态，为电信局的工作人员提供各种服务，甚至连客户的家人，都享受到了华为人的热情服务。包括换煤气罐这样的日常琐事，华为人都能服务到家。

《华为公司基本法》中充斥着大量以"我们要"为开头的条款。华为后来在市场竞争中所创造的"100：1的人海战术"、"不计成本——不敢花钱的干部不是好干部"、"把客户震撼，把合同给我"、"价格进攻——击杀对手"和"狭路相逢勇者胜"等市场口号。任正非曾在题为《华为的红旗到底能打多久》的演讲中提到了华为的口号，他是这样说的：

"华为公司内部的口号很实际，不空洞，因此常有人说是灰色的。但员工听了很亲切，能实现，慢慢地就做起来了。但把这些灰色的口号叠加在一起，就会发现它与国家的精神目标是完全一致的。比如，各尽所能，按劳分配。"

曾在华为担任产品行销部副总裁、国际营销部副总裁等职务的胡勇在其文章中总结了华为的口号文化并做出了说明：

"'胜负无定数，敢搏成七分'——华为在家门口遇到了国际竞争，市场人员无知无畏，敢于拿还不是很成熟的产品去和西方公司竞争，很多看起来不可能成功的项目，在这种精神的号召下，不屈不挠，感动了客户。我们有'四千四万'：走遍千山万水，历经千辛万苦，想尽千方万计，历经千难万险。"

"'烧不死的鸟是凤凰'——1996年市场部集体大辞职，其实是其从农村市场走向城市市场的一个标志。当时的办事处主任也面临转型，也就是从重关系型转变为综合素质型。这开创了华为干部能上能下的先河，任总曾夸张地说，这次活动惊天地、泣鬼神。提出'烧不死的鸟是凤凰'，也就是干部能上能下，同时也有很多干部几上几下。"

"'从泥坑里爬出来的是圣人'——1998年，研发系统在深圳的一个万人体育馆开了一个大会，给研发人员发因产品设计缺陷造成的呆死料和维修花的机票，就像一场批判大会。会上喊出了这个口号，可能含义是提倡自我批评。会议可能搞过了头，伤了一些研发人员的心。2000年李一男等创业时，振臂一呼，研发系统应之云集。"

"'板凳要坐十年冷'——我在《围炉夜话》一书里见过这句话。华为研发有一个交换机用户板的开发团队，几年如一日，持续改进用户板的性能和降低用户板的成本，为公司创造了数亿元的效益。坐得了冷板凳，才能成就大事，也是提倡一种持之以恒、兢兢业业的职业精神。"

"'小改进，大奖励；大建议，不鼓励'——有些刚毕业的学生，常常提一些很大的建议，如公司的战略、商业模式等等，命题很大，来自书本，却又文不对题。所以，公司鼓励员工提一些改进工作的小建议，从手上的工作出发，从接触的事情开始，鼓励每位员工先脚踏实地地干事。"

"'不让雷锋吃亏'——奉献者定当得到合理的回报，你只管在前面冲锋陷阵，你的股票、薪酬常常超出你的预期。"

口号对员工起到约束的作用，可以给员工们营造一种勇于挑战的氛围，在这种氛围下，他们愿意愉快地投入工作之中。华为企业文化中这些口号也给华为的集体带来一种大家休戚与共、同荣共辱、并肩作战、为共同奋斗的事业而努力等正向氛围，使人才们更加爱恋这个集体。

一个口号的存在就要有它的实际意义，不能是看到人家喊着响亮的口号，为了赶潮流也制定几个口号摆在那里，而是要根据所做的工作或者是员工们欠缺的精神制定口号，让他们在看到这个口号的时候知道自己在做什么，应该要怎样做。

海尔集团董事局主席张瑞敏认为："有些人做事的最大毛病是不认真、做事不到位，每天工作欠缺一点，天长日久就成为落后的顽症。"因此，海尔集团提出了"日事日毕、日清日高"的管理口号，也就是说每天的工作每天必须完成，每天的工作要清理并要每天有所提高。对于这个口号，有一个事例就很明确地说明了这一制度的严谨性：在海尔集团的洗衣机厂，每天下班之前，依照厂里的规定，工人们都要进行每日的清扫工作。

一天，有一位员工在清扫地面时，在地上却发现了一颗螺丝钉。对此，他感到非常紧张，因为他知道若是地上多了一颗螺丝钉，就代表着一台洗衣机上少了一颗螺丝钉。这可是关系到产品的品质和企业形象的问题，必须立即向上级呈报。

厂长知道后，就立即下令要求员工们对当天生产的 1000 多台洗衣机进行全部复检。

可是，全体员工经过细心的检查后发现，所有的成品都没有缺少螺丝钉。大家感到很奇怪："问题到底出在哪里？"虽然这时已经过了下班时间，但是没有一个人提早离开，他们还在寻找多出一颗螺丝钉的原因。

两个多小时又过去了，他们终于发现了原因，原来物料仓库在发材料的时候，多发了一颗螺丝钉。

对于"日清日高"的口号，海尔集团却并没有将这句话停留在口头上，而是从实际行动出发，使之成为了海尔文化的一个组成部分。

张瑞敏常常向员工灌输这样一个理念："说了不等于做了，做了不等于做对了，做对了不等于做到位了，今天做到位了不等于永远做到。"

有许多企业曾提出了很多的管理概念和口号，但没有几个企业能像海尔那样把概念和口号落实得那么"到位"。海尔可以把这样的概念落实到卫生间里：几点几分谁来清理卫生间，几点几分由谁来检查，检查者是否来检查。①

第五节 "运动文化"

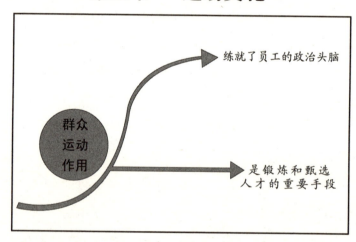

群众路线思想是中国共产党对长期在敌我力量悬殊的艰难环境里进行

---

① 严家明.执行力决定竟争力.人民邮电出版社，2010

活动的历史经验的总结，其根本思想在于置身群众中。任正非游刃有余地将其运用于华为的管理中，其核心含义是，把群众的意见集中起来化为系统的意见，再到群众中推行，在群众的实践中检验这些意见是否正确。

在华为发展的早期，任正非多次采取"运动"的模式来强化灌输华为的价值观，提升员工的执行力。对于"运动"这种形式，在一次华为公司总裁办公会上，任正非曾这样说道："毛泽东会打枪吗？谁见过毛泽东打枪？他要打枪恐怕要打到自己的脚趾头上。但是毛泽东会运动群众，会运动干部。"

1995 年 12 月 26 日是毛泽东诞辰 102 周年的纪念日，任正非以一篇题为《目前形势与我们的任务》的万言报告，拉开了市场部整训工作会议的序幕。会议期间，所有市场部的正职干部都要向公司提交两份报告，一份是 1995 年的工作述职，另一份就是辞职报告。任正非表示，自己只会在一份报告上签字。当时，包括市场部代总裁毛生江在内的 30% 的干部被调整下来。集体辞职开了华为"干部能上能下"的先河，也被业内视为企业在转型时期顺利实现"新老接替"的经典案例。

此后几年中，伴随着华为翻番式的高速增长，内部运动也如火如荼。1996 年 12 月，《华为公司基本法》启动大讨论，参与人员从高层到中层，从中层又扩大到普通员工，又由企业内部扩大到员工的家庭、合作单位及社会各界。之后，华为的内部活动不断。从"产品开发反幼稚"的大讨论，到"无为而治"的命题作文，高层发起、自上而下、层层推进式的群众运动，成了华为变革的招牌模式。

华为的"群众运动"还表现在一些日常细节中。例如华为召开员工大会之前，经常会号召大家大唱《团结就是力量》《解放军进行曲》等革命歌曲，以此来激发员工产生饱满的情绪。这种事情，在军队管理上和在过去大搞群众运动时是很一般的事，但在现代公司管理的角度看来就是比较奇怪的事了。在华为许多次类似这样的场面中有一次比较特殊，那是 1998 年，在一次年终会议上，市场部在华为的大食堂里合唱《解放军进行曲》。由于时间紧张，市场部事先没有排练，舞台上又没有扩音设备，市场部的人只好扯着嗓子唱。当时在台下观看的任正非听着听着就激动起来，站起身也跟着唱开了，接着是所有到场观看的员工也都跟着高歌起来。一时间，饭堂里歌声飞扬，声震四方，场面颇为壮观。

群众运动确实起到了神奇的功效。首先，它练就了员工的政治头脑。"运动"一般以任正非的一篇讲话为中心点，接着就是全员的学习和讨论，以及正面人物的宣传、反面人物的警示等等。这种群众运动确实起到了神奇的功效。员工明白，声势浩大的运动背后，领导讲话的字里行间，都可能预示着某种变化。那些以前不爱学习公司文件的年轻人，现在都会抢在第一时间阅读任正非的讲话稿或文章。

运动也成了锻炼和甄选人才的重要手段。但运动一多，效果就会大打折扣。

2000 年之后，华为开始有意识地减小表面"运动量"，任正非也从台前退到了幕后。以前轰轰烈烈的群众运动形式转变成了和风细雨的形式。2000 年以后的华为更像一道静静向前流淌的河流，低调但坚决地赶着自己的路。任正非这样解释促成这种变化的根本目的："有人说华为公司运行得平平静静，没什么新闻，是不是没戏了。我们说这叫'静水潜流'。表面很平静的水流，下面的水可能很深很急。倒是那些很浅的水在石头上流过去的时候才会泛起浪花。"

"我们现在一步一步地改革，就是为了让你们的心情也平静下来，随着潮流慢慢走。华为现在的平静，说明公司已经逐渐规范化了。"

第六节　"奋斗文化"

艰苦奋斗精神对于一个民族、一个国家、一个政党而言，尚且如此重要，更何况是对于一个企业。一个没有艰苦奋斗精神作支撑的企业，是难以长久生存的。

任正非认为，艰苦奋斗是华为文化的魂，也是华为成功和拥有强大执行力的核心。"我们任何时候都不能因为外界的误解或质疑动摇我们的奋斗文化，我们任何时候都不能因为华为的发展壮大而丢掉了我们的根本——艰苦奋斗。"

任正非曾这样描述华为创业者们艰苦的创业历程。华为公司创业之初，根本没有资金，是创业者们把自己的工资、奖金投入到公司，每个人只能拿到很微薄的报酬，绝大部分干部、员工常年租住在农民房。正是老一代华为人"先生产，后生活"的奉献精神，才挺过了公司最困难的岁月，支撑了公司的生存、发展，才有了今天的华为。

任正非认为，没有华为人当时冒险投入和艰苦奋斗的精神，华为不可能生存下来。"我们感谢过去、现在与公司一同走过来的员工，他们以自己的泪水和汗水奠定了华为今天的基础。更重要的是，他们奠定与传承了公司优秀的奋斗和奉献文化，华为的文化将因此生生不息，代代相传。"

在任正非看来，华为要发展，要参与国际竞争没有任何经验可以借鉴，更没有任何可以利用的资源，只有靠艰苦奋斗。"华为没有背景，也没有任何稀缺的资源，更没有什么可依赖的，除了励精图治、开放心胸、自力更生，我们还有什么呢？最多再加一个艰苦奋斗，来缩短与竞争对手的差距。公司高层管理团队和全体员工的共同付出和艰苦奋斗，铸就了今天的华为。"

任正非指出，华为没有国际大公司积累了几十年的市场地位、人脉和品牌，没有什么可以依赖，华为人只有比别人更多一点奋斗，在别人喝咖啡和休闲、健身的时候都在忘我努力地工作和完成任务；否则，根本无法追赶上竞争对手的步伐，根本无法缩小与他们的差距。

任正非认为，世界上最难管理的就是工业，而工业中最难管理的又是电子工业。电子工业有别于传统产业的发展规律，它技术更替、产业变化迅速，同时，没有太多可以制约它的自然因素。例如，汽车产业的发展，受钢铁、石油资源及道路建设的制约。而用于电子工业的生产原料是取之不尽的河沙、软件代码、数学逻辑。正是这一规律，使得信息产业的竞争要比传统产业更激烈，淘汰更无情，后退就意味着消亡。要在这个产业中生存，只有不断创新和艰苦奋斗。而创新也需要奋斗，是思想上的艰苦奋斗。

任正非时刻提醒华为人，过去的成功或许将成为华为进一步发展的最大阻碍，华为人的过分自信可能导致最大的失败。"华为已处在一个上升时期，它往往会使我们以为8年的艰苦奋战已经胜利。这是十分可怕的。我们与国内外先进企业的差距还较大，只有在思想上继续艰苦奋斗，长期保持进取、不甘落后的态势，才可能不会灭亡。"

任正非始终认为华为还没有成功。"华为的国际市场刚刚有了起色，所面临的外部环境比以往更严峻。全球超过10亿用户使用华为的产品和服务，我们已经进入了 100 多个国家，很多海外市场刚爬上滩涂，随时有被赶回海里的风险；网络和业务在转型，客户需求正发生深刻变化，产业和市场风云变幻，刚刚积累的一些技术和经验又一次面临自我否定。在这历史关键时刻，我们绝不能分心，不能动摇，不能因为暂时的挫折、外界的质疑，动摇甚至背弃自己的根本，否则，我们将自毁长城，全体员工 18 年的辛勤劳动就会付诸东流。无论过去、现在还是将来，我们都要继续保持艰苦奋斗的作风。"

著名管理专家、并购专家王育琨在文章《华为国际化调查报告》中这样记述当年华为人在俄罗斯的奋斗历程："现任华为独联体地区部总裁的李杰，就是在这样的背景下被派往俄罗斯开拓市场。俄罗斯的 1998 年，天气倒是不冷，可市场太冷了，而且紧接着俄罗斯发生的一场金融危机，使整个电信业都停滞下来。李杰回忆说：'有在打官司的，有在清理货物的，官员们走马观灯似的在眼前晃来晃去，我不仅失去了嗅觉，甚至视线也模糊了，那时候，我唯一可以做的就是等待，由一匹狼变成了一头冬眠的北极熊。'这一年，李杰几乎一无所获,除了告诉俄罗斯：我们还在。1999 年,李杰还是一无所获。在日内瓦世界电信大会上,任正非点醒了自己的爱将：'李杰，如果有一天俄罗斯市场复苏了，而华为却被挡在了门外，你就从这个楼上跳下去吧。'李杰说：'好。'李杰马不停蹄地开始组建当地营销队伍，培训后送往俄罗斯各个地区，以此为基础建立了合资企业贝托华为这个营销网络。在不断的拜访中，他们认识了一批运营商的管理层，了解和信任在频繁的沟通中得以建立，从而形成了目前最主要的客户群。在艰难的起步中，华为从俄罗斯国家电信局获得的第一张订单只有区区 12 美元。"

面对艰苦的环境和高强度的工作压力，华为人没有被吓倒，而是以一种乐观、积极、自然的心态去面对，并从执行、工作、学习、奋斗、追求、进步中去领悟自己的那份成就感与幸福感。

华为内刊《华为人》上，一位曾在阿尔及利亚工作的华为人描述道："生活是美好的，前途是光明的，但道路是坎坷的。在阿尔及利亚，工作之外最困难的是衣食住行。

"第一次来阿尔及利亚，走在去 Annaba 的路上，忽然来了两辆警车，一前一后地把我们夹在中间往前走。我觉得很惊奇，出了什么事吗？同事笑着对我说，不要惊慌，在阿国，他们是接到信息后专门来保护外国友人的。哦，原来如此。一路上，警车开道，好不威风！到了目的地，当我们一定要请警察兄弟们吃顿饭时，他们却礼貌地拒绝了，把我们交接给当地警方后，很快就回去了！真是让人感动至极！

"当我和大家谈起这件事时，一位在阿尔及利亚生活工作了多年的朋友说，以前在首都，我们去买菜，警察都是派车来保护的。啊，可爱可亲的阿拉伯兄弟！慢慢地，我才知道，中国和阿尔及利亚有很好的邦交关系，上世纪 50 年代底，中国就与阿尔及利亚建立了外交关系，目前已经有近半个世纪的情谊了！

"饮食上，很多同事都不习惯，我们吃惯了中国菜，在这里，只有'棒子'面包、Pizza 和沙拉了，很多同事甚至还更愿意吃国内带来的方便面。

"以前，阿国物品极不丰富，想买东西，很难买到，尤其到了冬天，这里的蔬菜更少，偶尔可以从中国建设集团的工地上买到'老干妈'，立即觉得生活质量上了一个档次。近一年，情况有了较大改观，一方面公司总部每两个月会给我们寄一些慰问品，一方面阿国北部有了几个小菜市场，代表处也优化了食堂，在饮食上，大家觉得比以前好多了。闲来无事时，我们也从网上搜索一两个喜欢吃的菜来，自己尝试做两个中国菜，打打牙祭！有同事笑着说，吃了自己做的菜，半年不想家了！

"同时，我们积极地融入当地生活中，经常在周末和本地员工、当地朋友来一个烧烤，或者邀请客户打场篮球、踢场足球。生活在不断地更新、变化着，我们深深地感受到了阿拉伯民族的友好和热情，每到一处，都能感受到主人的地主之谊。闲暇之余，和他们一起谈天说地，一起吃手抓羊肉品尝咖啡，一起感受沙漠的深奥，一起欣赏地中海风情。"

任正非说道："中国是世界上最大的新兴市场，因此，世界巨头都云集中国，公司创立之初，就在自己家门口碰到了全球最激烈的竞争，我们不得不在市场的夹缝中求生存；当我们走出国门拓展国际市场时，放眼一望，所能看得到的良田沃土，早已被西方公司抢占一空，只有在那些偏远、动乱、自然环境恶劣的地区，他们动作稍慢，投入稍小，我们才有一线机会。为了抓住这最后的机会，无数优秀华为儿女离别故土，远离亲情，奔赴海外，无论是在疾病肆虐的非洲，还是在硝烟未散的伊拉克，或者是海啸灾后的印尼，以及地震后的阿尔及利亚……到处都可以看到华为人奋斗的身影。我们有员工在高原缺氧地带开局，爬雪山，越丛林，徒步行走了8天，为服务客户无怨无悔；有员工在国外遭歹徒袭击头上缝了30多针，康复后又投入工作；有员工在飞机失事中幸存，惊魂未定又救助他人，赢得当地政府和人民的尊敬；也有员工在恐怖爆炸中受伤，或几度患疟疾，康复后继续坚守岗位；我们还有3名年轻的非洲籍优秀员工在出差途中飞机失事不幸罹难，永远地离开了我们……"

"18年的历程，10年的国际化，伴随着汗水、泪水、艰辛、坎坷与牺牲，

我们一步步艰难地走过来了，面对漫漫长征路，我们还要坚定地走下去。"

　　任正非深知创业难，守业更难的道理，他忠告华为人，繁荣的背后，处处充满危机，华为必须保持艰苦奋斗的传统，否则就会走向消亡。"公司高层领导虽然都经历过公司最初的岁月，意志上受到一定的锻炼，但都没有领导和管理大企业的经历，直至今天仍然是战战兢兢、诚惶诚恐的，因为十余年来他们每时每刻都切身感悟到做这样的大企业有多么难。多年来，唯有更多身心的付出，以勤补拙，牺牲与家人团聚、自己的休息和正常的生活，牺牲了平常人都拥有的很多的亲情和友情，牺牲了自己的健康，经历了一次又一次失败的沮丧和受挫的痛苦，承受着常年身心的煎熬，以常人难以想象的艰苦卓绝的努力和毅力，才带领大家走到今天。"

第七节　"批评文化"

只有不断地自我批判，才能使我们尽快成熟起来

为什么要自我批判

不是为批判而批判，
不是为全面否定而批判，
而是为优化和建设而批判，

总的目标是要导向公司
整体核心竞争力的提升

组织的自我批判，将会使流程更加优化，管理更加优化
员工的自我批判，将会大大提高自我素质

英国的布朗宁说过，能够反躬自省的人，就一定不是庸俗的人。善于

自我反省，就能时时提高自己，从而获得比别人更大的成功。

人类之所以能够不断取得进步、向前发展，是因为人类会思考，会自我批评，会在自己的生命旅途中不断地进行自我反省，然后发现自己的不足，改正自己的不完美之处。

毛泽东曾经这样强调自我批评的重要性，他说："有无认真的自我批评，也是我们和其他政党互相区别的显著的标志之一。"他将自我批评作为一种思想武器和改造手段，彰显出一个政党的特点。任正非曾是"毛泽东思想"的学习标兵，他将自我批评转化为华为的管理思想，提出了管理人员必须要具备"在自我批判中进步"的观念。

在华为的内部，还有例行的民主生活会，不变的主题就是批评与自我批评。据任正非所言，华为一定要推行以自我批判为中心的组织改造和优化活动。自我批判不是为批判而批判，也不是为全面否定而批判，而是为优化和建设而批判。总的目标是要提升公司整体执行力和核心竞争力。

任正非是一个敢于自我否定并把自我否定作为一种领导者关键气质的人。自我批判不是今天才有，几千年前的曾子"吾日三省吾身"；孟子"天将降大任于斯人也，必先苦其心志，劳其筋骨，饿其体肤，空乏其身，行拂乱其所为，所以动心忍性，增益其所不能"；毛泽东同志在写文章时，要求"去粗取精，去伪存真，由表及里，由此及彼"，都是自我批判的典范。没有这些自我批判，就不会造就这些圣人。

任正非在其文章《为什么要自我批判》中写道："华为还是一个年轻的公司，尽管充满了活力和激情，但也充塞着幼稚和自傲，我们的管理还不规范。只有不断地自我批判，才能使我们尽快成熟起来。我们不是为批判而批判，不是为全面否定而批判，而是为优化和建设而批判，总的目标是要导向公司整体核心竞争力的提升。""组织的自我批判，将会使流程更加优化，管理更加优化；员工的自我批判，将会大大提高自我素质。"

"这些年来，公司在《华为人》《管理优化报》、公司文件和大会上，不断地公开自己的不足，披露自己的错误，勇于自我批判，刨松了整个公司思想建设的土壤，为公司全体员工的自我批判，打下了基础。一批先知先觉、先改正自己缺点与错误的员工已经快速地成长起来。"

任正非表示，华为处在 IT 业变化极快的十倍速时代，这个世界上唯一不变的就是变化。华为人稍有迟疑，就谬以千里。故步自封，拒绝批评，扭扭捏捏，就不止千里了。华为人是为面子而走向失败，走向死亡；还是丢掉面子，丢掉错误，迎头赶上呢？要活下去，就只有超越；要超越，首先必须超越自我；超越的必要条件，是及时去除一切错误。去除一切错误，首先就要敢于自我批判。"古人云：三人行必有我师，这三人中，其中有一人是竞争对手；还有一人是敢于批评我们设备问题的客户，如果你还比较谦虚的话；另一人就是敢于直言的下属、真诚批评的同事、严格要求的领导。只要真正地做到礼贤下士，没有什么改正不了的错误。"

"如果没有长期持续的自我批判，我们的制造平台，就不会把质量提升到 20PPM。中国人一向散漫、自由、富于幻想、不安分、喜欢浅尝辄止的创新，不愿从事枯燥无味、日复一日重复的枯燥工作，不愿接受流程和规章的约束，难以真正职业化地对待流程与质量；不能像尼姑面对青灯一样，冷静而严肃地面对流水线，每天重复数千次，次次一样的枯燥动作。没有自我批判，克服中国人的不良习气，我们怎么能把产品造到与国际一样高水平，甚至超过了同行。他们这种与自身斗争，使自己适应如日本人、德国人一样的工作方法，为公司占有市场打下了良好基础。如果没有这种与国际接轨的高质量，我们就不会生存到今天。"

任正非并不在意否定自己的错误，而把它看作是一种提高。1998 年，他在一次视察工作的时候问人们："你们知道不知道，我为什么比你们水平高？"大家都被这个问题给问愣了，任正非自我解答道："原因就是我能够从我的每一次经历，不论是成功或是失败中，汲取到比别人多一点点的东西。因为我经历的事情比你们多，而每一次的收获也比你们多，我的水平也就自然会比你们高。"

任正非曾被问到一个问题：您对华为人最大的期望和要求是什么？他说，华为人要有自我批判精神。他希望华为人"每日三省吾身"，要意识到自己的不足，并不断地加以改进，不断地优化。而作为华为的中高级管理干部，更应该具有自我批判的精神。

三国时期的袁绍刚愎自用，"外宽内忌"，从心底里不肯承认自己的过错。当谋士田丰力阻他兴兵官渡时，他拒不听谏，反而将其囚于监牢；在官渡之战大败之后，按理他应从铁的事实中认识自己的过错，赶紧释放和重尊田丰，可他反而逼其自杀，可见其最无自我批判的精神。战国时期的廉颇对自己的批判最为彻底，当他意识到自己对蔺相如"不避车舆"，心存妒忌的过错后，竟光着膀子，负着荆棘，请求蔺相如责打。廉颇的可贵不单单在于"负荆"这种行为，而是他从内心反省自己，发自内心去"请罪"的勇气和决心！以上人物对自己过错的反应态度，不仅体现出不同的修养，也多少昭示出不同的结局和成就：袁绍原本拥兵百万，却终不敌曹操，最终身败名裂，基业不保！廉颇则不仅屡建功名，而且在人格上也得到升华。

任正非要求，对不同级别的干部有不同的要求，凡是不能使用自我批判这个武器的干部都不能提拔。自我批判从高级干部开始，高级干部每年都有民主生活会，民主生活会上提的问题是非常尖锐的。

任正非说道："我希望这种精神一直能往下传，下面也要有民主生活会，一定要相互提意见，相互提意见一定要和风细雨。我认为，批评别人应该是请客吃饭，应该是绘画、绣花，要温良恭俭让。一定要把内部的民主生活会变成有火药味的会议，高级干部尖锐一些，是他们素质高，越到基层应越温和。事情不能指望一次说完，一年不行，两年也可以，三年进步也不迟。我希望各级干部在组织自我批判的民主生活会议上，千万要把握尺度。我认为人是怕痛的，太痛了也不太好，像绘画、绣花一样，细细致致地帮人家分析他的缺点，提出改进措施来，和风细雨式最好。我相信只要我们持续下去，这比那种暴风急雨式的革命更有效果。"

华为的意志虽然统一于任正非个人的意志，但任正非的自我批判精神使得他能够不断跨越成功的陷阱，保持决策的正确性，并避免个人决策可能给组织带来的决策风险。任正非同样要求其接班人要具有自我批判的能力。"一个企业长治久安的基础，是它的核心价值观被接班人确认，接班人具有自我批判能力。"

在干部选拔原则方面，华为同样把自我批判能力作为选拔干部的否决条件。"华为公司从现在开始，一切不能自我批判的员工，将不能再被提拔。3年以后，一切不能自我批判的干部将全部免职，不能再担任管理工作。通过正确引导，以及施加压力，再经过数十年的努力，将会在公司内形成层层级级的自我批判风气。"

为什么华为这样强调干部的自我批判能力？华为认为，一个优秀的管理者造就其优秀的真正能力是其接受新事物、新观念，去除旧观念、旧的思维模式和过时的心智模式的能力。这种能力实质上就是自我批判的能力，有了这种能力才能去除自身不符合公司价值导向的价值观，心甘情愿地接受公司核心价值观的约束，并按公司的价值导向重塑自我。

自我批判的能力，实质上也是一个人自我领导、自我管理的理智力、自律力和内在控制力。通过理智的引导进行自我剖析，重新审视自我的愿景、价值观和心智模式。自我批判的过程就是一个从思想上、观念上去糟粕、纳精华，进而不断升华和成长的过程。是人生从"必然王国"到"自由王国"的过程，是到达随心所欲而不逾矩的境界的必由之路。

任正非为了"揭露丑陋的华为人"，专门创办了一份在企业内发行的《管理优化报》，这份报纸上不是写一些冠冕堂皇的企业管理理念，而是专门批评自己的一份极具战斗意味的报纸。

有一次，天津市通信管理局领导到华为公司访问时提了一些意见，华为把中研部、中试部全体员工组织起来听录音，认真反思，写了不少心得。随后将这些心得编成了一本书，名叫《炼狱》，每位员工都发了一本，任正非要求所有华为人都要认真学习。这促使研发人员思考，怎么从对研究成果负责任转变为对产品负责任。

2000年9月1日，华为召开了一场特殊的"颁奖大会"，参加者是研发系统的几千名员工，几百名研发骨干被一个个点名后到主席台"领奖"，每一个获奖者都面红耳赤，台下一片唏嘘。这些骨干们领到的奖品是几年来华为研发、生产过程中，因工作不认真、BOM单填写不清、测试不严格、盲目创新等人为因素导致的报废品，以及因不必要的失误导致的维修所产生的机票、火车票、各种费用单据等。任正非要求这些获奖者要把"奖品"带回家，放到客厅最显眼的地方，每天都看一看。

　　这场隆重的"颁奖大会"实际上是华为一场深刻的自我批判活动，是华为为造就下一代的领导人进行的一次很好的洗礼。任正非希望所有的华为人刻骨铭心记住这次教训，并一代代传下去。

　　这种批判与自我批判相结合的管理优化方式，已经成为华为人日常生活的一部分，任正非对自我批判情有独钟。

　　自我批判是促进个人提升执行力的好方法，是思想、品德、素质、技能创新的优良工具，只要勇于自我批判，敢于向自己开炮，不掩盖产品及管理上存在的问题，就有希望保持业界的先进地位，就有希望向世界提供服务。

　　《华为公司基本法》起草人之一彭剑锋这样分析道："华为的意志虽然统一于任正非个人的意志，但任正非的自我批判精神使得他能够不断跨越成功的陷阱，保持决策的正确性，并避免个人决策可能给组织带来的决策风险。任正非多次提出："只有自我批判、迅速调整、改正一切需要改正的错误，否则早就被逐出市场"。"没有自我批判，克服中国人的不良习性，我们怎么可以把产品造到国际水平,甚至超过同行"。"华为公司会否垮掉，完全取决于自己，一是核心价值观能否让我们的干部接收，二是能否自我批判。"随着华为公司日益做大，华为人给外界的印象是自我感觉太良好，华为人的危机意识和自我批判精神仅体现在任正非个人身上，尚未升华为全体华为人的共识与行为。

　　同时，一个具有自我批判精神的公司一定是开放而透明的，与社会是良性互动的，是敢于坦然面对公众和媒体的。而华为长期以来刻意的低调虽然有其合理性，但随着公司规模越来越大，其负面作用逐渐凸显。

　　"烧不死的鸟是凤凰"，只有经历不断的自我批判，一个企业才能得到

创新，执行力才能得到完美提升；只有经历发自内心的自我批判，一个人
才能超越自我，才能得到升华。

链接

工作是幸福的 奋斗是快乐的

记得 1999 年，我初到海外拓展，第一站是拉美哥伦比亚市场。当我向客户介绍自己是来自遥远的中国时，客户惊讶地看我，他们指着前方远处的一座桥问我："你们中国现在有这样的大桥吗？"其实那只不过是一座不到 200 米长的桥！当时在这样的空白市场，要想推动客户对公司认可，还必须要先从推动客户对中国的认可开始啊！

由于公司的战略发展，要推动那些总部在欧洲但投资控股拉美、非洲、亚洲等区域的跨国大运营商，公司又指派我到欧洲开拓这块高端、空白的市场。

拓展欧洲市场是我在华为至今以来最大的挑战之一。早期我们想与任何一个欧洲客户会见都非常困难，而且我们当时还是没有任何支撑的"三无人员"：没有注册公司，没有固定居所，没有工作签证。

我们不停地奔波在几个国家间争取与一个个运营商的会见，常常在海关被怀疑为是非法盲流而被无故拘留半天审查；身兼数职，没有秘书，我要以秘书的角色，设法和客户的秘书取得联系，然后自己再以公司代表的身份带领一个小组正式去拜访客户；没有财务，我又担负所有团队人员的费用借款、报销等；没有行政，我要给所有来支持的领导和团队人员设法找到邀请函；居无定所，客户常常因故会突然推迟会议时间，现住的宾馆又不能延期，我们就得再找新住处。在欧洲临时找酒店住常常是非常困难的，所以我们常常得拖着行李半夜了还在街上转，一家一家酒店找新的住处……

尽管艰苦，但我们还是踏踏实实地从零做起，从一点一滴做起。通过深入地研究了东西方文化差异，了解了西方人的思维方式和处事方法，分析总结商业模式的特点，想方设法去见到客户，争取建立打通客户沟通的渠道，执著不停地向客户传播我们的亮点……靠着意志、智慧和真诚，最终在法国实现了欧洲的首个主流运营商的重大合作突破。在极端艰苦的环境下，因有永不言败和不息奋斗的华为精神支撑，总给予我克服各种困难的力量！

随着近年公司海外机构和运作的完善，引入全面建立提升客户关系和管理的平台，为我再次奋斗提供了更大的平台。通过不断地积累、自我批判、自我改进和团队的共同努力，欧洲整体客户关系提升了，并支撑欧洲 2008 年超额实现了 30 亿美元的目标！实现了许多客户从陌生到现在良好合作和战略伙伴关系。工作是幸福的！奋斗是快乐的！能作为公司迅速发展洪流中的一滴水，我从内心感到自豪！

随着公司不断地发展，自己也随之成长，我从当初对国际市场和管理一点不懂，到现在能对欧洲客户需求准确理解和把握，对东西方文化差异有深入了解，按市场商业模式特点有效运作的初步职业经理人。能有这样的进步，我要衷心感谢公司给了我这样的机会，感谢公司多年对我的培养！同时还要感谢曾一起工作给予我帮助的领导和同事们，更感谢一直默默无闻在背后支持我的家人！

以奋斗者为本，永远奋斗的精神使公司不断发展，我将会与千千万万华为人一道继续将华为艰苦奋斗的精神发扬光大。

（摘编自华为内刊《华为人》，作者：李红滨 华为欧洲片区副总裁）

任正非：致新员工书

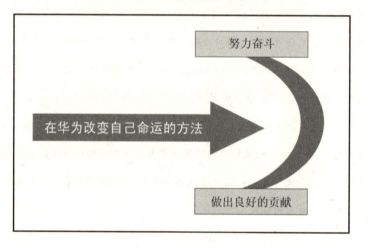

　　您有幸加入了华为公司，我们也有幸获得了与您合作的机会。我们将在相互尊重、相互理解和共同信任的基础上，与您一起度过在公司工作的岁月。这种尊重、理解和信任是愉快地进行共同奋斗的桥梁与纽带。

　　华为公司不单需要高层次、高素质的科技人才和管理人才，同时还必须有一个能被这些人才认同的价值体系，这就是说要建立一个共同拥有的企业文化。华为的企业文化是建立在民族优良传统文化基础上的企业文化，同时，这个文化是开放的、包容的，不断吸纳世界上好的优良文化和管理的。如果把这个文化封闭起来，以狭隘的民族自尊心、狭隘的华为自豪感、狭隘的自我品牌意识为主导，排斥别的先进文化，那么华为一定会失败的。这个企业文化黏合全体员工团结合作，走群体奋斗的道路。有了这个平台，你的聪明才智方能很好发挥，并有所成就。没有责任心，缺乏自我批判精神，不善于合作，不能群体奋斗的人，等于丧失了在华为进步的机会。那样您会空耗了宝贵的光阴，还不如在试用期中，重新决定您的选择。进入华为并不意味着高待遇。对新来的员工，因为没有考评记录，起点较低，晋升也许没有您期望得那么快，为此深感歉意。

公司管理是一个矩阵系统，运作起来就是一个求助网。希望您们成为这个大系统中一个开放的子系统，积极、有效地既求助于他人，同时又给予他人支援，这样您就能充分地利用公司资源，您就能借助别人提供的基础，吸取别人的经验，很快进入角色，很快进步。求助没有什么不光彩的，做不好事才不光彩，求助是参与群体奋斗的最好形式。如果封闭自己，怕工分不好算，想单打独斗，搞出点名堂来，是万万不可能的。就算您搞出来，也需要较长时间，也许到那时，你的工作成果已没有什么意义了。实践是您水平提高的基础，它充分地检验了您的不足，只有暴露出来，您才会有进步。实践再实践，尤其对青年学生十分重要。只有实践后善于用理论去归纳总结，才会有飞跃的提高。要摆正自己的位置，不怕做小角色，才有可能做大角色。有一句名言："没有记录的公司，迟早是要垮掉的！"多么尖锐。一个不善于总结的公司会有什么前途，个人不也是如此吗？

我们崇尚雷锋、焦裕禄精神，并在公司的价值评价及价值分配体系中体现：决不让雷锋们、焦裕禄们吃亏，奉献者定当得到合理的回报。

我们呼唤英雄，不让雷锋吃亏，本身就是创造让各路英雄脱颖而出的条件。雷锋精神与英雄行为的核心本质就是奉献。雷锋和英雄都不是超纯的人，也没有固定的标准，其标准是随时代变化的。在华为，一丝不苟地做好本职工作就是奉献，就是英雄行为，就是雷锋精神。

实践改造了，也造就了一代华为人。"您想做专家吗？一律从基层做起"，已经在公司深入人心。进入公司一周以后，博士、硕士、学士以及在原工作单位取得的地位均消失，一切凭实际能力与责任心定位，对您个人的评价以及应得到的回报主要取决于您实干中体现出来的贡献度。在华为，您给公司添上一块砖，公司给您提供走向成功的阶梯。希望您接受命运的挑战，不屈不挠地前进，您也许会碰得头破血流。但不经磨难，何以成才！在华为改变自己命运的方法，只有两个：一、努力奋斗；二、做出良好的贡献。

公司要求每一个员工要热爱自己的祖国，热爱我们这个刚刚开始振兴的民族。只有背负着民族的希望，才能进行艰苦的搏击而无怨无悔。我们总有一天，会在世界舞台上，占据一席之地。无论任何时候、无论任何地点都不要做对不起祖国、对不起民族的事情。要模范遵守国家法规和社会公德，要严格遵守公司的各项制度与管理规范。对不合理的制度，只有修改以后才可以不遵守。任何人不能超越法律与制度，不贪污、不盗窃、不腐化。严于律己，帮助别人。

您有时会感到公司没有您想象的公平。真正绝对的公平是没有的，您不能对这方面期望太高。但在努力者面前，机会总是均等的，只要您不懈地努力，您的主管会了解您的。要承受得起做好事反受委屈，"烧不死的鸟就是凤凰"，这是华为人对待委屈和挫折的态度和挑选干部的准则。没有一定的承受能力，今后如何能做大梁。其实一个人的命运，就掌握在自己手上。生活的评价，是会有误差的，但决不至于黑白颠倒，差之千里。要深信，在华为，是太阳总会升起，哪怕暂时还在地平线下。您有可能不理解公司而暂时离开，我们欢迎您回来。您更要增加心理的承受能力，连续工龄没有了，与同期伙伴的位置差距拉大了。我们相信您会快步赶上，但时间对任何人都是一样长的。

世上有许多"欲速则不达"的案例，希望您丢掉速成的幻想，学习日本人踏踏实实、德国人一丝不苟的敬业精神。现实生活中能做到精通每一项技术是十分难的。您想提高效益、待遇，只有把精力集中在一个有限的工作面上，不然就很难熟能生巧。您什么都想会、什么都想做，就意味着什么都不精通，做任何一件事对您都是一个学习和提高的机会，都不是多余的。努力钻进去兴趣自然在。我们要造就一批业精于勤、行成于思，有真正动手能力和管理能力的干部。机遇偏爱踏踏实实的工作者。

公司永远不会提拔一个没有基层经验的人做高层管理者。遵循循序渐进的原则，每一个环节对您的人生都有巨大的意义，您要十分认真地去对待现在手中的任何一件工作，十分认真地走好职业生涯的每一个台阶。您要尊重您的直接领导，尽管您也有能力，甚至更强，否则将来您的部下也不会尊重您，长江后浪总在推前浪。要有系统、有分析地提出您的建议，您是一个有文化者，草率的提议，对您是不负责任的，也浪费了别人的时间。特别是新来者，不要下车伊始，动不动就哇啦哇啦，要深入、透彻地分析，找出一个环节的问题，找到解决的办法，踏踏实实地一点一点地去做，不要哗众取宠。

公司建立了各级管理团队，在高层开放民主。在公司的授权下，各级部门首长办公会议负责日常运行的管理。部门首长办公会议是实行权威制，一旦决定了要坚决执行，有不同意见可以反映，但必须服从它的决定，以及快速反应。

公司管理决策的原则是从贤不从众。管理的原则是集体负责制。这种建立在统一经营管理理念基础上的民主决策和权威管理的经营管理体制，有利于防止一长制的片面性，在重大问题上，发挥了集体智慧。这是公司成立10多年来没有摔大跟头的因素之一。民主讨论还会进一步扩展，权威管理的作用也会进一步加强，这种民主、集中的管理，还需长期探索，希望您成为其中一员。

为帮助员工不断超越自我，公司建立了各种培训中心。培训很重要，它是贯彻公司战略意图、推动管理进步和培训干部的重要手段，是华为公司通向未来、通向明天的重要阶梯。你们要充分利用这个"大平台"，努力学习先进的科学技术、管理技能、科学的思维方法和工作方法，培训也是你们走向成功的阶梯。当然您想获得培训，并不是没有条件的。

物质资源终会枯竭，唯有文化才能生生不息。一个高新技术企业，不能没有文化，只有文化才能支撑她持续发展，华为的文化就是奋斗文化，我也不能形象地描述什么叫华为文化，我看了电影《可可西里》以及残疾人表演的《千手观音》，我想他们的精神就叫华为文化吧！对于一个新员工来说，要融入华为文化需要一个艰苦过程，每一位员工都要积极主动、脚踏实地地在做事的过程中不断去领悟华为文化的核心价值，从而认同直至消化接纳华为的价值观，使自己成为一个既认同华为文化，又能创造价值的华为人；只有每一批新员工都能尽早地接纳和弘扬华为的文化，才能使华为文化生生不息。

华为文化的特征就是服务文化，谁为谁服务的问题一定要解决。服务的涵义是很广的，总的是为用户服务，但具体来讲，下一道工序就是用户，就是您的"上帝"。您必须认真地对待每一道工序和每一个用户。任何时间、任何地点，华为都意味着高品质。希望您时刻牢记。

华为十几年来铸就的成就只有两个字——诚信，诚信是生存之本、发展之源，诚信文化是公司最重要的无形资产。信息安全关系着公司的生死存亡。

员工在参与公司产品研发、生产、销售等过程中，一是不要侵犯了别人的知识产权，二是不要将公司的智力资产泄露出去甚至据为己有。诚信和信息安全作为对每个员工的最基本要求，任何人只要违反，必将受到处罚。

业余时间可安排一些休闲，但还是要有计划地读些书，不要搞不正当的娱乐活动，为了您成为一个高尚的人，望您自律。

我们不赞成您去指点江山，激扬文字。我们以"产业报国"的方式去关心、去爱自己的国家。目前，在中国共产党领导下，国家政治稳定、经济繁荣，这就为企业的发展提供了良好的社会环境，我们要十分珍惜。21世纪是历史给予中华民族一次难得的振兴机会，机不可失，时不再来。"21世纪究竟属于谁"，这个问题的实质是国力的较量，国际间的竞争归根到底是在大企业和大企业之间进行。国家综合国力的增强需要无数大企业组成的产业群去支撑。一个企业要长期保持在国际竞争中的优势，唯一的办法便是拥有自己的竞争力。当华为拥有知识产权的产品以强劲的竞争力冲出亚洲，走向世界的时候，它代表着一个国家向全世界展示：中国不但过去曾经是文化科技大国，今天、明天、后天……还会再创辉煌。

希望您加速磨炼，茁壮成长，我们将一起去托起明天的太阳。

参考文献

[1] 郑一群.重在执行 [M].地震出版社, 2011.

[2] 陈荣斌, 陈艳军.三分制度七分执行大全集 [M].立信会计出版社, 2011.

[3] 李凯城.用思想打造执行力 [M].当代中国出版社, 2011.

[4] 闫瑞娟.完美复命 执行不打折扣 [M].电子工业出版社, 2011.

[5] 李钉.执行力 [M].中华工商联合出版社, 2011.

[6] 李成坤.私营公司的24堂细节执行课 [M].北京工业大学出版社, 2011.

[7] 赵丽红.赢在执行力 [M].中国致公出版社, 2009.

[8] 吕国荣, 俞继宗.你的执行力从哪里来 [M].机械工业出版社, 2011.

[9] 刘江川.自动自发 当下执行版 [M].新世界出版社, 2012.

[10] 墨墨.把工作做到极致 做最好的执行者 [M].北京理工大学出版社, 2010.

[11] 章岩.赢在中层 中层带队伍的执行力法则 [M].台海出版社, 2009.

[12] 杨克明.OEC管理:中国式执行 [M].中国经济出版社, 2005.

[13] 白山, 边建强.提升执行力的68个关键 [M].当代世界出版社, 2008.

[14] 靳会永.三分制度, 七分执行 [M].企业管理出版社, 2009.

[15] 杨红书.如何提升个人执行力 [M].北京工业大学出版社, 2012.

[16] 赖新元.不折不扣地执行 [M].中国长安出版社, 2008.

[17] 李万升.向解放军学执行 [M].吉林大学出版社, 2010.

[18] 余世雄.赢在执行 员工版 [M].北京出版社, 2009.

[19] 张镜沅.执行就是走流程 [M].机械工业出版社, 2009.

[20] 刘文辉.向华为学执行 [M].浙江人民出版社, 2011.

[21] 成杰.做最好的执行者 [M].中国华侨出版社, 2011.

[22] 熊超群.3倍速执行力 [M].中信出版社, 2008.

[23] 骆建彬.提升中层执行力 [M].清华大学出版社, 2008.

[24] 高涌翔.引爆巅峰团队 打造一流团队执行力 [M].浙江工商大学出版社, 2012.

[25] 马志刚.领袖的执行 领导力与执行力 [M].中国三峡出版社, 2009.

[26] 闫燕.执行力 [M].江西科学技术出版社, 2010.

[27] 严家明.执行力决定竞争力 [M].人民邮电出版社, 2010.

[28] 王伟立, 李慧群.华为的管理模式 [M].海天出版社, 2010.

[29] 李正道, 许凌志.华为的企业战略 [M].海天出版社, 2010.

[30] 张继辰, 文丽颜.华为的人力资源管理 [M].海天出版社, 2010.

[31] 高晓万, 周恒.华为的营销策略 [M].海天出版社, 2010.

[32] 刘文栋.华为的国际化 [M].海天出版社, 2010.

[33] 赵海涛, 陈广.华为的企业文化 [M].海天出版社, 2010.

后记

在《华为的高效执行力》写作过程中，作者查阅、参考了大量的文献，部分精彩文章未能注明来源，希望相关版权拥有者见到本声明后及时与我们联系，我们都将按相关规定支付稿酬。在此，表示深深的歉意与感谢。

由于编者水平有限，书中不足之处在所难免，诚请广大读者指正。同时，为了给读者奉献较好的作品，本书在写作过程中的资料搜集、查阅、检索与整理的工作量非常巨大，需要许多人同时协作才得以完成，也得到了许多人的热心支持与帮助，在此感谢陈仕文、孙才诗、田安辉、周晶、张亮亮、王宏姑、李江山、赵开进等人，感谢他们的辛勤付出与精益求精的敬业精神。